Nos origines

L'HORIZON DU CROYANT
sous le patronage
de l'Université Saint-Paul (Ottawa)
et la direction
de Normand Provencher

Nos origines
Genèse 1-11

Walter Vogels

NOVALIS

Nos origines

est publié sous la responsabilité
de Novalis, Université Saint-Paul, Ottawa.

Couverture: photographie de Michel Maillé, sculpture de Michel Serraz, La Main créatrice, église Notre-Dame du Travail, Paris:

> «*Par sa dimension monumentale, cette main veut évoquer la toute-puissance divine. Elle donne forme au couple originel. Elle donne vie à sa relation d'amour. Relation amoureuse où l'homme dans sa stature verticale saisit et soutient la femme plus lourde de sa richesse charnelle. L'obliquité de la main créatrice contribue à exprimer le dynamisme du geste enveloppant qui rappelle la main du potier. Ce couple dans la main divine est à la fois façonné, protégé et porté vers un destin supérieur que lui indique cette main ouverte vers le haut. Cette sculpture devant être taillée en pierre, une réserve de matière rappelle la matière originelle, la verticale du bloc dont elle est issue, tout en assurant la stabilité de l'œuvre.*» (texte de Michel Serraz)

Maquette: Denis De Carufel.

© **Copyright** 1992: Novalis,
    Université Saint-Paul, Ottawa.

Dépôts légaux: 4ᵉ trimestre 1992
        Bibliothèque nationale du Canada
        Bibliothèque nationale du Québec

Données de catalogage avant publication (Canada)
Vogels, Walter, 1932-

    Nos origines : Genèse 1-11

    (L'horizon du croyant)

    ISBN 2-89088-577-1

    1. Bible. A.T. Genèse I-XI - Critique, interprétation, etc. 2. Homme - Origines - Aspect religieux. 3. Harmonie (Philosophie) - Aspect religieux. I. Titre. II. Collection.

BS1235.2.V63 1992   222'.1106   C92-097287-X

Distribution:
Novalis, C.P. 990, Outremont (Québec) H2V 4S7

ISBN: 2-89088-577-1

Imprimé au Canada

NOVALIS

à Kristien
qui me défie de rester jeune

Introduction

Aucune section de la Bible n'est probablement mieux «connue» que Genèse 1-11. Tous, dans notre société, croyants ou non, pratiquants ou non, avons entendu parler du paradis d'Éden, d'Adam et Ève, de la côte d'Adam, du serpent, de la pomme, du déluge et de la tour de Babel. Le tout fait partie de notre culture. Dans le monde anglophone, certains garçons portent le nom d'Adam; dans certains pays, des filles sont appelées Ève. L'utilisation de ces prénoms suggère que ces personnes portent le nom des ancêtres historiques de l'humanité, comme celui de Pierre rappelle le chef des apôtres. Certains restaurants ou cafés ont des noms comme «Le Jardin d'Éden» ou «L'arche de Noé». Ces établissements promettent certainement de bonnes choses à leurs clients! Il existe des films sur la Bible, montrant Noé avec les animaux entrer dans l'arche. Si on l'a vu au cinéma, c'est certainement vrai! Presque chaque année, à l'occasion de mon cours sur cette section de la Bible, un étudiant ou une étudiante m'apporte une coupure de journal avec une bande dessinée sur l'un des passages; la côte et le déluge en sont les favorites. De nombreuses affirmations s'inspirent aussi de ces textes. On dit par exemple que tous nos problèmes viennent de cette pomme, qu'Ève est responsable de bien des misères humaines. On entend aussi des blagues sur ces chapitres; on se demande par exemple quelle langue parlaient Adam et Ève. La réponse est simple: «la langue anglaise». Ils avaient en effet la langue «en glaise»!

Il est clair que Genèse 1-11 continue à intriguer les gens. Les bandes dessinées et les blagues prouvent qu'on est porté à se moquer de ces textes, mais qu'en même temps on reste fasciné par eux. En somme, on ne sait pas trop quoi en faire. Les gens, même avec peu d'éducation, se posent des questions sur ces textes et concluent souvent: «C'est impossible», «Ça ne peut pas être vrai». Mais puisque ces textes se trouvent dans la Bible, plusieurs se sentent obligés d'y croire, coûte que coûte. D'autres les écartent, prétextant qu'ils sont ridicules et enfantins. Ces quelques remarques montrent bien que ces chapitres les plus «connus» de la Bible sont peut-être aussi les moins «compris».

Ces textes ne questionnent pas uniquement les lecteurs ordinaires, mais également les spécialistes. Cette section est probablement la plus étudiée de toute la Bible par des experts de tendances et de disciplines différentes. Le nombre de publications, livres et articles, consacrées à ces chapitres défie l'imagination. Claus Westermann, qui en a écrit récemment le commentaire le plus complet, y consacre plusieurs centaines de pages[1]. Le but du présent volume de la collection «L'horizon du croyant» n'est pas de reprendre un examen exhaustif de tous les détails de ces textes bibliques. Nous tenterons plutôt de montrer, en nous basant sur les

---

1   C. Westermann, *Genesis* (coll. *Biblischer Kommentar Altes Testament*, vol. I, Genesis 1-11), Neukirchen, Neukirchener Verlag, 1974, viii + 824 pages. Le volume a été traduit en anglais par J.J. SCULLION, *Genesis 1-11: A Commentary*, Minneapolis, Augsburg Publishing House, 1984, xii + 636 pages. Ce commentaire contient aussi une mine d'information bibliographique.

résultats des recherches, ce que ces chapitres ont à dire aux lecteurs contemporains, pour qu'ils s'y sentent plus à l'aise et deviennent même emballés par la richesse de ces textes anciens. Une fois compris, ces chapitres prennent une tout autre allure; loin de nous déranger, ils peuvent nous toucher profondément, puisqu'ils parlent de chacun et chacune de nous comme personne humaine.

De toutes mes publications, c'est la rédaction de ce volume qui m'a le plus enthousiasmé, à cause précisément de la valeur exceptionnelle de Genèse 1-11. Ce livre est le résultat de plusieurs années d'enseignement de ces textes à l'Université Saint-Paul à Ottawa et de nombreuses sessions et conférences qui y ont été consacrées dans différentes parties du monde dans des milieux universitaires, mais aussi plus populaires. Partout, mes propos ont reçu un accueil extrêmement chaleureux. Des questions et des suggestions de mes nombreux étudiants et étudiantes m'ont aidé à mieux comprendre ces textes. J'y ai déjà consacré plusieurs études de détail parues dans des revues scientifiques et pastorales. Les réactions et commentaires à ces publications m'ont aussi aidé à mieux préciser ma pensée. J'en remercie ici toutes ces personnes avec l'espoir que les lecteurs de ce volume en profiteront. Ces derniers auront intérêt à garder le texte biblique ouvert près d'eux pendant la lecture de cette étude.

Je dédie ce volume à ma nièce Kristien Van Acker qui, par sa délicate sensibilité, comme femme, et par sa compétence médicale, comme spécialiste, contribue à restaurer chez beaucoup de personnes l'harmonie de nos origines.

CHAPITRE I

Des rêves
sur la destinée humaine

Il est frustrant de constater qu'on a été mal compris par son interlocuteur. Des malentendus mènent souvent à des conflits sérieux et pénibles dans les relations. Si je raconte une blague en classe et que mes étudiants me prennent au sérieux, c'est leur problème. Mais si je suis sérieux et qu'ils pensent que je blague, ils risquent d'avoir des ennuis. Un problème semblable se pose pour le lecteur de Genèse 1-11. Se moquer de ces chapitres ou les écarter est facile. Mais si on veut comprendre ces textes qui donnent lieu à tant d'interprétations, parfois diamétralement opposées, il est important de se questionner sur la façon de les approcher afin d'éviter des malentendus.

1. Le problème de l'historicité de Genèse 1-11

La personne qui lit chaque jour le quotidien montréalais *Le Devoir* aura peu de raisons de douter de ce qui y est écrit. Petit à petit, elle finira même par adopter la ligne de pensée de ce journal. Si la personne décide de lire également le

Globe and Mail de Toronto, elle commencera probablement
à se poser un peu plus de questions. On n'y raconte pas la
même chose, les mêmes faits ne sont pas interprétés de la
même façon. La personne aura une vue plus complète et
équilibrée de la situation.

Jusqu'à une époque assez récente — que signifient en
effet deux ou trois siècles dans l'histoire de l'humanité? —,
la grande source d'information sur la création et les problèmes connexes était la Bible. Le croyant avait donc peu de
raisons de douter de ce qui est présenté en Genèse 1-11. Les
choses ont changé du tout au tout avec l'apparition d'autres
sources d'information sur ces mêmes questions.

La science

La Bible offre des précisions sur l'âge d'Adam à la naissance de son premier fils et sur la durée de sa vie. Elle donne
les mêmes détails pour sa descendance jusqu'au déluge
(Gn 5) et après le déluge (Gn 11). En se basant sur ces chiffres et sur d'autres chiffres bibliques, on a essayé de calculer
à quel moment se situe le «au commencement» (1, 1)[1] de la
création et, par conséquent, le moment de l'apparition
d'Adam et Ève sur la terre. James Ussher, archevêque
d'Armagh en Irlande (1581-1656), conclut que le monde fut
créé le dimanche 23 octobre 4004 avant Jésus Christ[2]. John
Lightfoot de l'Université de Cambridge précise qu'il était
9 heures du matin ce jour-là. Il faudrait bien sûr se demand-
der: 9 heures... heure de Greenwich, de Montréal ou de
Tokyo? Le *Martyrologium Romanum*, qui énumère pour
chaque jour les saints morts en ce jour, était lu autrefois dans

---

1   Les références bibliques sans indication du livre renvoient toujours à
     Genèse 1-11, la section de la Bible étudiée dans ce volume.

2   J. Barr, «Why the World was Created in 4004 B.C.: Archbishop Ussher
     and Biblical Chronology», *Bulletin of the John Rylands Library*, 67
     (1985), p. 575-608.

plusieurs communautés religieuses. Cette lecture n'était en général pas très inspirante, à part peut-être une fois par année. À Noël, en effet, on lisait l'histoire du salut à partir d'Adam et Ève jusqu'à la naissance de Jésus. Ce texte, basé sur des calculs semblables à ceux de Ussher et de Lightfoot, place le début de la création en 5199 avant notre ère[3].

La science est venue remettre en question ces dates. Elle a montré qu'une date autour de 5000 est beaucoup trop récente. Disons en simplifiant qu'on y a d'abord ajouté un zéro, pour ensuite réaliser que même une date autour de 50 000 était trop proche. On passa alors à 500 000. Le crâne le plus complet de l'*Homo habilis* (selon certains la première espèce humaine, celle qui se sert d'outils) provient du Kenya et daterait d'il y a 2 millions d'années. Des outils en pierre plus anciens suggèrent cependant que cette espèce a pu exister il y a 2,4 millions d'années[4]. Peu importe les discussions entre scientifiques, les chiffres bibliques ne correspondent plus du tout à ceux de la science.

La science place le lecteur de Genèse 1-11 devant bien d'autres questions. La Bible affirme que Dieu créa en six jours; un jour, les poissons et les oiseaux; le lendemain, les animaux de même que l'homme et la femme (1, 3-31). Charles-Robert Darwin, dans son célèbre ouvrage *De l'origine des espèces par voie de sélection naturelle* (1859), propose la variabilité des espèces. Cette doctrine évolutionniste est bien différente de l'affirmation biblique qui présente la création de toutes les espèces en un jour. Selon la Bible, Dieu aurait créé l'être humain à partir de la glaise du sol (2, 7); l'évolutionnisme prétend que le singe est notre arrière-grand-père ou, mieux encore, notre cousin. Nous avons pour ancêtre commun un animal qui, au lieu de se

---

3   *Martyrologium Romanum*, Taurini, Marietti, 1939, p. 487.

4   N. Calder, *Timescale: An Atlas of the Fourth Dimension*, New York, Viking Press, 1983, p. 140.

déplacer sur quatre pattes, s'est dressé sur ses pattes de derrière. La Bible semble également parler, du moins à première vue, d'Adam et Ève comme d'un premier couple, suggérant ainsi le monogénisme. La science favorise plutôt le
polygénisme, doctrine selon laquelle l'humanité provient de
plus qu'un seul couple.

Il est vrai que plusieurs de ces théories scientifiques
demeurent des hypothèses. La science, en effet, révise régulièrement ses positions. Mais prétendre que la science ne
pose aucun problème au lecteur de la Bible, c'est se fermer
les yeux sur l'évidence.

Les textes extra-bibliques

L'archéologie a mis à notre disposition une série de textes sur la création provenant de diverses cultures[5]. Le récit
biblique de la création ne se lit plus dans un vacuum, mais à
l'intérieur de la littérature des peuples voisins. Certaines différences le distinguent des autres textes, mais plusieurs ressemblances permettent des rapprochements. Mentionnons
par exemple le concept d'univers, l'idée de la création par
séparation ou la création de l'humanité à partir de l'argile.

Le poème babylonien de la création, intitulé d'après les
premiers mots du texte *Énouma élish* (XIVe siècle avant
Jésus Christ), débute ainsi:

---

5   *La création du monde et de l'homme d'après les textes du Proche-Orient
    ancien* (coll. Cahiers Évangile Supplément, 6), Paris, Cerf, 1981; *La créa-
    tion et le déluge d'après les textes du Proche-Orient ancien*, traduits et
    présentés par M.-J. Seux, M. Gitton, J.-L. Cunchillos, J. Briend (coll.
    Cahiers Évangile Supplément, 18), Paris, Cerf, 1988; J. Bottéro - S.N.
    Kramer, *Lorsque les dieux faisaient l'homme: Mythologie mésopotamien-
    ne* (coll. *Bibliothèque des histoires*), Paris, Gallimard, 1989; J. O'Brien -
    W. Major, *In the Beginning: Creation Myths from Ancient Mesopotamia,
    Israel and Greece* (coll. *American Academy of Religion: Aids for the Study
    of Religion Series*, 11), Chico (California), Scholars Press, 1982 (voir
    notre recension dans *Église et théologie*, 14 (1983), p. 201-202).

> Lorsqu'en haut le ciel n'était pas nommé,
> qu'en bas la terre ferme n'avait pas reçu de nom,
> ce fut Apsou, l'initial, qui les engendra,
> la causale Tiamat qui les enfanta tous;
> comme leurs eaux se mêlaient ensemble...

Le poème commence ainsi avec la description du chaos, exactement comme le récit biblique de la création (1, 2). Même la formule «Lorsque... il n'y avait pas», fréquente dans ce genre de récits, se retrouve dans la Bible: «Lorsque Dieu commença la création... la terre était déserte et vide» (1, 1-2, traduction de la TOB; cf. 2, 4b-5). Il existe des différences entre les deux textes: le poème babylonien présente la naissance des dieux et leurs combats, la Bible n'en parle pas; par contre, la Bible décrit la création des plantes et des animaux, qui est absente du texte babylonien. Mais les deux textes ont aussi des ressemblances frappantes. La suite identique des éléments qu'ils ont en commun est remarquable, comme on peut le constater par le tableau suivant[6].

Énouma élish	Genèse 1
Chaos primitif, Tiamat enveloppée dans les ténèbres	Chaos primitif, les ténèbres couvraient l'abîme *(tehom)*
La lumière émane des dieux	La lumière est créée
La création du firmament	La création du firmament
La création de la terre sèche	La création de la terre sèche
La création des luminaires	La création des luminaires
La création de l'humanité	La création de l'humanité
Les dieux se reposent et celèbrent	Dieu se repose et sanctifie le septième jour

---

6 Le tableau, avec de légères modifications, est repris de A. Heidel, *The Babylonian Genesis: The Story of the Creation*, Chicago, University of Chicago Press, 1951, p. 129.

Des textes extra-bibliques de déluge présentent également des ressemblances parfois étonnantes avec le récit biblique. L'épopée de Gilgamesh[7], un texte babylonien, décrit comment Outnapishtim, le héros du déluge, se débrouille pour savoir si le déluge est bien fini et s'il peut sortir du vaisseau dans lequel il a pu survivre au désastre:

> À l'arrivée du septième jour, je fis sortir une colombe et la lâchai. La colombe alla et revint; comme il n'y avait pas de lieu où se tenir, elle s'en retourna. Je fis sortir une hirondelle et la lâchai. L'hirondelle alla et revint; comme il n'y avait pas de lieu où se tenir, elle s'en retourna. Je fis sortir un corbeau et le lâchai. Le corbeau alla et vit le dessèchement des eaux. Il mange, patauge, croasse, il ne s'en retourne pas.

Noé aussi recourt à trois oiseaux pour s'assurer qu'il peut quitter l'arche (8, 6-12). Il y a des différences de détail, les types d'oiseaux, par exemple. Mais le mouvement général du texte est tellement semblable qu'on peut se demander si l'auteur biblique ne se serait pas inspiré du texte babylonien, beaucoup plus ancien.

Certains qualifient ces textes extra-bibliques de fables ou de mythes et les rejettent comme faux, soutenant que seule la Bible dit vrai. Tout lecteur ayant comparé ces récits avec les textes bibliques devra conclure qu'une telle réponse est extrêmement simpliste et injuste, puisqu'elle juge avec deux poids et deux mesures.

L'étude critique de la Bible

Les données de la science et les textes extra-bibliques posent des questions au lecteur de Genèse 1-11, mais tout

---

7   A. Heidel, *Gilgamesh Epic and Old Testament Parallels*, Chicago, University of Chicago Press, 1973 (première édition 1946); *Gilgamesh*, présentation, traduction et notes par F. Malbran-Labat. (coll. Cahiers Évangile Supplément, 7), Paris, Cerf, 1982.

lecteur le moindrement attentif et critique trouvera des difficultés à l'intérieur même des textes bibliques. Le récit de la création décrit comment Dieu crée pendant six jours (1, 1-31); il a tellement travaillé qu'il doit se reposer le septième jour (2, 1-3). L'auteur conclut: «Telle fut l'histoire du ciel et de la terre, quand ils furent créés.» (2, 4a; cf. 2, 1) La création est terminée, tout est là. Les personnes qui poursuivent la lecture du texte sont étonnées d'y trouver: «Il n'y avait encore aucun arbuste des champs sur la terre... et il n'y avait pas d'homme pour cultiver le sol.» (2, 5) Le texte biblique vient de mentionner explicitement que Dieu avait fait pousser la végétation (1, 11-12) et créé l'humanité (1, 26-27). On a l'impression qu'après le récit de création (1, 1-2, 4a) l'auteur reprend un autre récit de création (2, 4b-24), comme s'il n'y avait encore rien[8].

En soi, la chose ne serait pas tellement problématique. Répéter son enseignement est même recommandé pour un professeur, afin de faciliter la compréhension. Mais quand on répète, il est préférable de dire la même chose et, surtout, de ne pas se contredire. Voilà le problème du texte biblique. Selon le premier récit, Dieu fait pousser la végétation le troisième jour (1, 11-13); les animaux, le sixième jour (1, 24-25) et ensuite, toujours le même jour, l'humanité, l'homme et la femme ensemble (1, 26-31). Sont donc créés, dans l'ordre: plantes – animaux – humain (mâle et femelle). Dans le deuxième récit, l'auteur modifie cet ordre. Dieu crée d'abord l'homme; à première vue, on a l'impression qu'il s'agit du mâle (2, 7), qui se retrouve sur une terre sans végétation ni pluie, donc au désert (2, 5). Dieu plante alors un jardin avec des arbres (2, 8-9) dans lequel il place l'homme. Dieu réalise ensuite qu'il n'est pas bon pour cet homme

---

8   Nous adoptons ici la façon commune de parler de deux «récits de création». On verra plus loin qu'il est préférable de parler d'un récit de création (1, 1-2, 4a) et d'un récit du paradis (2, 4b-3, 24).

d'être seul; il crée les animaux (2, 18-20), mais ceux-là ne
satisfont pas l'homme. Dieu forme alors la femme
(2, 21-24). L'ordre de la création est différent de celui du
récit précédent: homme (mâle) – plantes – animaux –
femme. Lequel des deux textes dit vrai?

Le lecteur qui compare ces deux récits de création constate rapidement que plusieurs éléments les caractérisent.
Chaque texte a son vocabulaire propre. Le premier récit utilise le verbe «créer» (1, 1. 21. 27 [3 fois]; 2, 4a), absent du
second et remplacé par «modeler» (2, 7). Le premier
emploie toujours «le ciel et la terre» (1, 1; 2, 1. 4a); le
deuxième renverse l'ordre: «la terre et le ciel» (2, 4b). Il
s'agit d'une différence mineure, mais significative, car chacun favorise ainsi un des deux pôles. L'usage du nom divin
diffère également: le premier récit parle de «Dieu» (Élohim),
le deuxième de «Yahweh Dieu» (certaines traductions,
comme la TOB, disent «Seigneur Dieu»). Comme le vocabulaire, le style permet de caractériser chacun des textes. Le
premier récit décrit l'ensemble de la création. Systématique,
ordonné, soucieux de précision, il inclut des indications
chronologiques et reprend certaines formules, rendant la
mémorisation plus facile. On dirait qu'il s'agit d'un texte à
être proclamé. Le deuxième récit ne décrit pas l'ensemble de
la création; il ne dit rien par exemple des luminaires. Son
style est simple, populaire. On dirait une histoire à raconter.
On a suggéré que le premier est l'œuvre d'un théologien et
le deuxième, celle d'un catéchiste. En plus du vocabulaire et
du style, la théologie des deux récits est très différente.
L'image de Dieu qu'on retient du premier est celle d'un
Dieu qui, du haut du ciel, assis sur son trône, donne des
ordres; les choses apparaissent selon ses instructions. Dieu
ne semble pas se fatiguer beaucoup... on peut même se
demander pourquoi il se repose le septième jour! Par contre,
le Dieu présenté par le deuxième récit est descendu sur terre,
il travaille la glaise et parle aux humains. Le premier récit

décrit un Dieu lointain, transcendant; le deuxième, un Dieu proche, immanent.

Tout ce qui précède suggère que nous sommes en présence de deux récits distincts. Ce genre de difficultés rencontrées dans les deux récits de la création reviennent dans l'ensemble du Pentateuque. Il est impossible qu'un même auteur — la tradition parle de Moïse — ait pu écrire des textes avec des caractéristiques aussi distinctes. Un grand nombre d'experts expliquent ces difficultés par ce qu'on appelle la théorie documentaire[9]. Le Pentateuque serait composé de quatre traditions auxquelles on a donné des noms fictifs: le Yahwiste (J), l'Élohiste (E), le code sacerdotal (P, de l'allemand *Priestercodex*) et le Deutéronomiste (D). Cette théorie est présentement remise en question, mais il n'existe pour le moment aucune nouvelle hypothèse satisfaisante pour la remplacer. Elle reste valable, surtout pour Genèse 1-11; elle résout beaucoup de problèmes.

Tous les textes de Genèse 1-11 appartiennent soit à la tradition yahwiste (J), soit à la tradition sacerdotale (P). Le choix du nom divin aide à les distinguer. Le premier récit de la création (1, 1-2, 4a) emploie «Dieu» *(Élohim)* et dit que Dieu se repose le septième jour, clairement une préoccupation sacerdotale (P). Dans le deuxième récit (2, 4b-24), le nom divin utilisé est Yahweh; il appartient à J. On s'est demandé également de quelle époque datent ces traditions. On situe généralememt J au Xe siècle, au temps de David ou, mieux encore, sous Salomon, époque de grande prospérité

---

9   Pour une courte introduction à cette hypothèse documentaire, voir J. Briend, *Une lecture du Pentateuque,* (coll. *Cahiers Évangile,* 15), Paris, Cerf, 1976, et dans toutes les introductions à la Bible. Pour une étude plus poussée, A. de Pury (éd.), *Le Pentateuque en question: Les origines et la composition des cinq premiers livres de la Bible à la lumière des recherches récentes* (coll. *Le monde de la Bible*), Genève, Labor et fides, 1989, surtout A. de Pury - T. Römer, «Le Pentateuque en question: position du problème et brève histoire de la recherche», p. 9-80.

pour Israël. P proviendrait du VIe siècle, durant ou après l'exil, époque du plus grand désastre national. Un auteur qui veut toucher ses lecteurs doit s'adapter à leurs besoins et préoccupations. Rien d'étonnant que ces deux textes soient si différents.

Les réflexions précédentes ont montré que la science ne dit pas exactement la même chose que la Bible sur les questions de nos origines. Nous avons vu également qu'il existe des textes extra-bibliques très semblables, quoique différents, des textes bibliques. Personne ne les juge comme historiques; on les qualifie de mythiques. Finalement, nous avons montré qu'il existe des contradictions à l'intérieur même des textes bibliques. Le lecteur ne peut s'empêcher de se poser la question de l'historicité des textes de Genèse 1-11.

2. Le genre littéraire de Genèse 1-11

Poser la question de l'historicité de ces textes revient à se poser la question de leur genre littéraire. Les malentendus proviennent souvent d'une erreur sur le genre littéraire. Je présenterai d'abord ce que ces chapitres ne sont pas, ce qu'ils ne veulent pas et ne peuvent pas être. Je proposerai ensuite positivement ce qu'ils sont.

Ces textes ne sont pas historiques

Pour écrire l'histoire, il faut des faits. Si l'on n'a pas soi-même vécu les événements qu'on veut décrire, on peut consulter des archives. Mais jusqu'à maintenant, les archives du paradis terrestre n'ont pas encore été retrouvées! On peut aussi interroger des témoins oculaires, ce qui est également exclu pour nos récits. Les auteurs bibliques se sont certainement basés sur la tradition orale, dont on connaît la fidélité dans des cultures anciennes. Pourtant, on peut se demander si la tradition orale a pu conserver fidèlement les faits rapportés en Genèse 1-11, comme par exemple à quel âge Adam a eu son premier fils et à quel âge il est mort (5, 3-5). Si on accepte l'hypothèse affirmant qu'Adam et Ève sont apparus sur la terre vers l'an 5000, cette possibilité est déjà problématique. Le tout se complique quand on pense avec la science que la création remonte à plusieurs millions d'années. Tout cela exigerait bien des miracles... est-ce indiqué d'y recourir pour de tels détails?

Certains soutiennent que ces textes sont tout de même historiques parce que les auteurs étaient inspirés. Je crois aussi que les textes de Genèse 1-11 sont inspirés. L'inspiration n'est cependant pas une dictée divine[10]. Pour que les auteurs de ces textes puissent connaître avec précision les faits, ils auraient eu besoin de révélation. Une telle affirmation ne fait que déplacer le problème et le rend même plus grave. P et J décrivent la création de manières différentes, on y trouve même des contradictions si on considère le texte comme historique. Si Dieu a révélé à P qu'il a créé d'abord les plantes puis les animaux et ensuite l'humanité, homme et femme ensemble, et si par la suite il a révélé à J avoir d'abord formé l'homme, ensuite les plantes, les animaux et finalement la femme, Dieu lui-même se contredit. Dieu ne semble plus se rappeler comment il a créé!

Ces textes ne sont pas scientifiques

Se demander si ces textes sont historiques est en somme poser un faux problème. L'histoire ne s'occupe pas de l'origine du monde et de l'humanité. Cela appartient à la géologie, à la paléontologie, à la biologie, à l'astronomie, à l'anthropologie, à l'ethnographie ou à des sciences sembla-

---

10　W. Vogels, «Inspiration in a Linguistic Model», *Biblical Theology Bulletin*, 15 (1985), p. 87-93; id., «Inspiration», *Dictionnaire encyclopédique de la Bible*, Turnhout, Brepols, 1987, p. 614-617.

bles. Les textes de Genèse 1-11 sont, d'une certaine façon, scientifiques. On y lit en effet comment les gens à cette époque concevaient l'univers, mais leur vue scientifique est incomplète et incompatible avec les sciences modernes. Ces textes ne sont donc pas scientifiques au sens moderne du mot.

Si on prétend que la Bible contient un enseignement scientifique, elle entre alors en conflit direct avec les sciences modernes, conflit malheureux, souvent tragique, parfois comique[11].

Si science et Bible sont en *opposition* directe, il faut alors opter en faveur de l'un des deux partis de ce conflit insoluble. Certaines personnes informées des résultats de la science ne savent plus quoi faire de Genèse 1-11. Ces textes deviennent embarrassants pour une personne cultivée; on les écarte car on les trouve enfantins et, avec ces chapitres, c'est parfois toute la Bible et éventuellement toute la religion qui sont mises de côté. D'autres prennent le parti de la Bible. Puisque la Bible est Parole de Dieu, la science doit se tromper, même s'il faut pour cela se fermer les yeux devant l'évidence. Telle est la position des créationnistes qui essaient par tous les moyens, dans certaines régions des États-Unis, d'empêcher que les théories évolutionnistes soient enseignées dans les écoles[12]. L'Église a commis la même erreur lorsqu'en 1633 Urbain VIII condamnait Galilée au nom de la Bible[13]. Galilée, suite à ses recherches scientifiques, sou-

---

11   A.D. White, *A History of the Warfare of Science with Theology in Christendom*, New York, Dover Publications, 1960, 2 vol. (première édition 1896).

12   Sur la controverse avec les créationnistes, voir R.E. Timm, «Let's Not Miss the Theology of the Creation Accounts», *Currents in Theology and Mission*, 13 (1986), p. 97-105.

13   A.D. White, *A History of the Warfare...*, vol. I, chap. III, développe le cas de Galilée, p. 114-170.

tenait que la terre tourne. Cette affirmation devait être hérétique, puisque la Bible dit que Dieu a fixé la terre fermement (Qo 1, 4; Ps 104, 5). Ce cas douloureux devrait nous mettre en garde, que nous évitions de répéter les mêmes bêtises.

Quelques-uns nient l'existence d'une opposition entre science et Bible, considérant les deux en parfaite harmonie. C'est la théorie du *concordisme* qui revient régulièrement sous des formes différentes[14]. Irwin Ginsburgh en est un exemple. Il accepte la théorie du *Big Bang* pour l'origine de l'univers et la théorie de l'évolutionnisme pour le développement de la vie et il retrouve ces mêmes vues scientifiques en Genèse 1. En effet, il prétend que Dieu n'a pas créé dans un instant, mais par phases successives. L'harmonie qu'il suggère entre science et Bible ressort bien du tableau suivant[15].

Science	Genèse 1	
1. Il y a 10-20 milliards d'années	Jour 1.	La création de la lumière
2. Big Bang	Jour 2.	Le firmament ou la séparation des eaux
3. Peu après le Big Bang – la formation de notre galaxie	Jour 3.	L'apparition de la terre ferme; plantes
4. Il y a 5 milliards d'années – la formation de notre système solaire, soleil, lune	Jour 4.	La création du soleil et de la lune

---

14   Ch. Wackenheim, «Science et foi: un exemple de concordisme au XIXe siècle», *Revue des sciences religieuses*, 54 (1980), p. 153-163.

15   I. Ginsburgh, *First, Man. Then, Adam! A Scientific Interpretation of the Book of Genesis*, New York, Simon and Schuster, 1975, tableau p. 54. «...I explain how and why science and the Book of Genesis are both probably describing the same set of events in the evolution of the Universe and of man», p. 3. Il prétend aussi que «le jardin d'Éden» serait un vaisseau spatial (p. 60-62) et «l'arbre de la connaissance du bien et du mal» un ordinateur (p. 60, p. 91).

5. Il y a un milliard d'années   Jour 5. La vie animale commence
   – la vie commence dans   dans les océans: poissons et
   les océans: développement   oiseaux
   des poissons et oiseaux

6. Développement des   Jour 6. Animaux terrestres, incluant
   animaux terrestres. Il y a   l'humanité.
   à peu près un million d'années
   – l'apparition de l'humanité

Cet effort de vouloir à tout prix «sauver» la Bible ne respecte pas la Bible du tout. Le texte de Genèse 1 ne parle pas de périodes couvrant des milliards d'années mais de «jour 1» et de «jour 2». La formulation au pluriel, «des jours» (Am 8, 11) ou «en ces jours» (Is 2, 2), peut indiquer une période indéterminée, mais le mot jour employé au singulier, surtout quand on énumère les journées, réfère toujours à cette période bien déterminée de 24 heures. Le texte ne laisse aucun doute là-dessus: «Il y eut un soir et il y eut un matin: premier jour.» (1, 5) De plus, le repos du septième jour après la semaine de travail est une claire référence au sabbat et non pas à une période d'un milliard d'années de repos!

Ce genre de concordisme peut mener éventuellement à des complications imprévues. Selon Ginsburgh, la Bible correspond parfaitement à la théorie du *Big Bang*. Si la science, comme elle l'a souvent fait, revoyait cette hypothèse et la remplaçait par une autre, les lecteurs bibliques seraient dans une situation peu confortable. Ils devraient alors, au nom de la Bible, défendre une théorie scientifique dépassée.

Le rapport entre science et Bible devient parfois comique lorsque les hommes de science utilisent la Bible comme *preuve* pour leurs découvertes scientifiques. En 1847, il y eut une discussion dans certains milieux ecclésiastiques sur la moralité de l'anesthésie. James Young Simpson, un physicien écossais, trouvait la preuve décisive dans la Bible. Dieu en effet a pratiqué la première anesthésie en endormant Adam avant de lui enlever sa côte pour la formation de la femme (2, 21)[16]!

La Bible n'a pas comme raison d'être de condamner ni de prouver la science. Science et Bible ont leur domaine propre et apportent leur contribution à l'humanité dans ses efforts pour comprendre sa destinée[17].

Ces textes sont des mythes

Les textes de Genèse 1-11 sont d'abord des textes religieux. Leur but n'est pas de donner des informations scientifiques. Pour être plus précis, ces textes sont à qualifier de mythes[18]. Bien des gens, en entendant le mot mythe, concluent alors que ces textes ne sont pas vrais, puisque ce mot évoque pour eux les histoires de naissance des dieux, de leurs mariages et de leurs combats. Genèse 1-11 ne contient pas ce genre de mythes. Mythe est à comprendre au sens moderne du mot: il s'agit d'une tentative humaine de présenter sous une forme narrative symbolique une réalité ou une vérité transcendante ressentie intuitivement.

L'origine de l'univers échappe à la compréhension humaine parfaite; personne n'en a été témoin. Pourtant, le fait de la

---

16   A.D. White, *A History of the Warfare...*, vol. II, p. 55-63.

17   C. Hyers, *The Meaning of Creation: Genesis and Modern Science*, Atlanta, J. Knox, 1984; F. Widmer, «Les théories évolutionnistes sont-elles incompatibles avec les textes de la Genèse?», *Cahiers Protestants*, (1984), n° 2, p. 4-20.

18   P. Gibert, *Bible, mythes et récits de commencement* (coll. *Parole de Dieu*), Paris, Seuil, 1986; R.H. Moye, «In the Beginning: Myth and History in Genesis and Exodus», *Journal of Biblical Literature*, 109 (1990), p. 577-598; T. Römer, «La redécouverte d'un mythe dans l'Ancien Testament: La création comme combat», *Études théologiques et religieuses*, 64 (1989), p. 561-575.

création n'a pas besoin de preuve, la seule existence du monde
le prouve. Bien des vérités sont invérifiables. De plus, on iden-
tifie souvent à tort «vrai» et «historique». Peut-on prétendre par
exemple que la vérité de l'égalité entre l'homme et la femme
est historique? On constate bien des abus et inégalités dans les
différentes cultures, pourtant plusieurs mythes parlent de cette
égalité, comme c'est le cas de la Bible dans le récit de la côte.
Mais comme le mythe utilise des symboles pour affirmer une
vérité, on doit se demander ce qui, dans le récit, appartient à la
vérité et ce qui appartient au symbole. Par exemple, Dieu a-t-il
vraiment pris une côte ou bien celle-ci est-elle symbolique? La
même question se pose pour tous les textes de Genèse 1-11.

    Au lieu d'utiliser le mot mythe, on pourrait aussi qualifier
ces textes de prophéties du passé. Contrairement à une conception populaire, le prophète n'est pas d'abord celui qui prédit
l'avenir, mais celui qui parle au nom de Dieu aux gens de son
temps des besoins présents[19]. Il les appelle à la conversion
maintenant, et non pas pour demain. Comme le prophète est
intimement uni à Dieu, il voit comme Dieu voit, il voit donc des
choses qui échappent à ses contemporains. Mais en contemplant le présent, le prophète peut prévoir où mènera le comportement présent; en ce sens, il peut prédire l'avenir. De la même
façon, en contemplant le présent, il peut regarder dans le passé.
Si j'observe les eaux des grands lacs canadiens, je vois la pollution présente. De là, je peux prédire que si nous n'agissons pas
rapidement, nous nous dirigeons vers un vrai désastre. Je peux
également remonter en arrière et affirmer avec certitude que ces
eaux devaient autrefois être pures. Les auteurs sacrés, en contemplant leur propre temps, pouvaient dire bien des choses
vraies et sûres sur «les origines». Rien d'étonnant que les images qu'ils utilisent correspondent souvent aux images que
d'autres auteurs utilisent pour les temps à venir. Création et

---

19   W. Vogels, *Les prophètes* (coll. *L'horizon du croyant*), Ottawa, Novalis,
      1990.

eschatologie se rejoignent. Nos aspirations correspondent à nos nostalgies.

P présente les humains et les bêtes aux origines comme des végétariens (1, 29-30); ils vivent donc dans un monde sans violence. Isaïe prédit la même chose pour les temps eschatologiques: «Le loup habitera avec l'agneau...» (Is 11, 6-8) Dans le texte de P, les gens aux origines vivent des centaines d'années (Gn 5); Isaïe prédit une longue vie pour les temps à venir (Is 65,-20). Ces deux exemples montrent bien que ces auteurs bibliques, en utilisant des symboles, touchent aux aspirations humaines les plus profondes. Nous vivons maintenant dans un monde de violence et de mort, mais chacun de nous ressent profondément ce désir de paix et de vie. Les textes de Genèse 1-11 parlent de ce qui nous tient le plus à cœur. Ils parlent de nos rêves, communs à toute l'humanité, et ainsi des rêves vrais sur notre destinée.

Les chapitres de Genèse 1-11 ne sont pas historiques, ni scientifiques. Ce sont des mythes, des prophéties du passé ou des rêves, des textes pourtant inspirés qui présentent des vérités. La vérité et l'inspiration ne sont pas le privilège d'un seul genre littéraire. Une fois admise cette position, bien des problèmes de ces chapitres disparaissent. On lit par exemple que «Caïn connut sa femme» (4, 17). Dans une interprétation littérale ou historicisante, on se trouve devant un problème insoluble. D'où vient cette femme? Après le meurtre d'Abel, il ne reste sur terre qu'Adam, Ève et Caïn. La seule femme dont parle le texte est Ève, mais puisqu'il paraît inconvenant que Caïn ait couché avec sa mère, on suppose qu'il a dû coucher avec sa sœur. Adam et Ève ont dû enfanter une fille. Cette affirmation est purement gratuite, car le texte jusqu'ici ne fait mention d'aucune fille. De plus, une telle union serait incestueuse. Ceci, curieusement, ne pose aucun problème pour la personne qui fait une lecture littérale ou historicisante: Dieu aurait permis l'inceste dans ce cas pour que l'humanité puisse se multiplier. D'ailleurs, l'humanité au début était encore pure, sans danger de pollution de la race[20]. De telles interprétations ne contribuent certainement pas à développer un intérêt pour ces textes pourtant si riches. Le problème de la femme de Caïn est purement imaginaire si on admet que ces personnages ne sont pas historiques, qu'il ne s'agit pas des premiers êtres humains et de leurs enfants mais qu'ils représentent l'humanité, chacun et chacune d'entre nous. Caïn, comme n'importe quel autre homme, s'est marié. Pourtant, les combats pour des causes perdues continuent[21].

---

20   Il est vrai que le texte P rapporte qu'Adam «engendra des fils et des filles» (5, 4), mais seulement après la naissance de Seth. Vouloir régler le problème de la femme de Caïn qui se pose en J par P, qui ne mentionne même pas Caïn, ne fait que compliquer le problème. «The marriage of blood relatives, in this instance, need cause no serious problem. Nor should it be used to justify such a relationship in subsequent history, since all generations of mankind stemmed "from one blood" (Acts 17:26). It was imperative, therefore, that in the beginning there should be marriages between close blood relatives. But when this necessity no longer existed, this practice was forbidden by specific command of God. The laws against consanguinity were spelled out in the Mosaic laws which came much later», G.C. Aalders, *Genesis* (coll. *Bible Student's Commentary*, 1), Grand Rapids, Zondervan, 1981, p. 129.

21   Un livre qui illustre bien ce genre de discussions: R. Youngblood (éd.), *The Genesis Debate: Persistent Questions About Creation and the Flood*, Nashville, T. Nelson, 1986. On y trouve onze questions; à chaque question un auteur répond «non», un autre «oui», chacun justifiant sa réponse (22 auteurs sont ainsi consultés). Les questions montrent ce sur quoi on continue encore à discuter, peut-être au grand étonnement de plusieurs: 1) Est-ce que les jours de la création étaient de vingt-quatre heures? 2) Est-ce que les événements du récit de la création sont présentés en ordre chronologique? 3) Est-ce que la terre fut créée il y a seulement quelques milliers d'années? 4) Est-ce que l'évolution fait partie du procès de la création? 5) Est-ce que la doctrine de la Trinité est impliquée dans le récit de la création? 6) Est-ce que le sacrifice de Caïn fut rejeté par Dieu parce qu'il n'était pas un sacrifice de sang? 7) Y avait-il des gens avant Adam et Ève? 8) Est-ce que les gens vivaient des centaines d'années avant le déluge? 9) Est-ce que les «fils de Dieu» en Genèse 6 sont des anges? 10) Est-ce que le déluge de Noé couvrait le monde entier? 11) Est-ce que Genèse 9 justifie la peine de mort?

3. La place et la fonction de Genèse 1-11 à l'intérieur de la Bible

On dit souvent que l'Ancien Testament est l'histoire nationale d'Israël. Une telle affirmation implique que la Bible serait la seule histoire nationale qui, à ma connaissance, commence avec la création et l'origine de l'humanité[22]!

Pour écrire l'histoire d'un peuple, on peut commencer par la période à laquelle cette nation est née, décrire comment elle s'est développée, a gagné son indépendance et ainsi de suite. On peut même essayer de retourner un peu plus loin dans le passé pour retracer les ancêtres de ce peuple et leur lieu d'origine. Israël a écrit son histoire de la même manière. Il a compris que son commencement est à chercher au moment de la sortie d'Égypte, quand Yahweh est venu le délivrer pour faire alliance avec lui au Sinaï et lui donner ensuite la terre promise. Comme un refrain, on lit dans la Bible des formules qui font allusion à cette action salvifique de Dieu: «Je vous ai fait sortir du pays d'Égypte... je vous ai donné ce pays.»

Mais, nécessairement, on s'est demandé pourquoi Yahweh était venu délivrer les enfants d'Israël. La réponse se trouve dans l'histoire des patriarches: «Dieu se souvint de son alliance avec Abraham, Isaac et Jacob.» (Ex 2, 24) Israël a donc, comme d'autres peuples, essayé de retracer ses ancêtres, décrits dans le cycle des patriarches (Gn 12-50).

Mais Israël cherchait également, derrière cette histoire, le sens des événements, comment Dieu y était présent, son projet sur l'histoire. Israël s'est demandé d'où venaient ses patriarches; il a pris conscience qu'ils appartiennent à

---

22 W. Vogels, «L'universalisme de la préhistoire: Gn 1-11», *Église et théologie*, 2 (1971), p. 5-34; id., *God's Universal Covenant: A Biblical Study*, 2e éd., Ottawa, University of Ottawa Press, 1986, p. 15-37.

l'ensemble de l'humanité. Yahweh, le Dieu sauveur d'Israël, doit donc être en même temps le Dieu créateur de tous les êtres humains et le maître de l'histoire universelle. Mais alors, comment expliquer que ce Dieu universel ne soit pas adoré de tous? La réflexion sur Dieu créateur et l'humanité mène nécessairement à d'autres questions: pourquoi tant de misère? pourquoi la mort? Les questions sur l'humanité se multiplient. C'est à elles que le début de la Bible essaie de donner une réponse. Ces chapitres présentent une réflexion religieuse sur l'humanité.

Cette longue période qui s'étend de la création du monde à Abraham est présentée en onze chapitres (Genèse 1-11) qu'on intitule parfois «La préhistoire». On y retrouve deux types principaux de textes: des narrations (appartenant surtout à J) et des généalogies (appartenant sur-tout à P). Toutes les narrations, peu importe leur origine, parlent de Dieu et de l'humanité et de leur agir. Les généalo-gies montrent la continuité et l'unité dans la race humaine à partir des origines jusqu'au temps présent[23]. Le mélange des deux types de textes, les narrations et les généalogies, donne l'impression qu'on lit l'histoire d'une famille, l'histoire de la race humaine. Il y a comme une historicisation du mythe. Ces textes présentent «nos origines» (titre donné au présent volume), non pas nos origines historiques ou scientifiques, mais nos origines théologiques, le projet de Dieu sur l'humanité[24].

---

23 Sur les généalogies, voir T.D. Alexander, «From Adam to Judah: The Significance of the Family Tree in Genesis», *Evangelical Quarterly*, 61 (1989), p. 5-19; B. Renaud, «Les généalogies et la structure de l'histoire sacerdotale dans le livre de la Genèse», *Revue biblique*, 97 (1990), p. 5-30.

24 W. Vogels, *Vivre selon la Bible: avec Dieu, les autres, la nature*, Ottawa, Novalis, 1988. Pour une discussion sur le thème de Genèse 1-11, voir D.J.A. Clines, «Theme in Genesis 1-11», *Catholic Biblical Quarterly*, 38 (1976), p. 483-507; cet article est repris par P. Berthoud, «Le thème de Genèse 1-11», *La revue réformée*, 31 (1980), p. 250-264.

Plusieurs livres d'introduction à la Bible ou cours bibliques commencent l'étude de la Bible avec l'Exode. On justifie ce choix en affirmant qu'à partir de ce moment Israël a compris que Yahweh est un Dieu sauveur; la foi au Dieu créateur serait venue seulement après. Même si cette démarche correspondait à la prise de conscience du peuple, il n'en demeure pas moins que la Bible ne débute pas par l'Exode. Les rédacteurs des livres bibliques auraient pu mettre les réflexions qu'on trouve en Genèse 1-11 n'importe où dans la Bible; ils ont choisi de les placer au tout début. Les lecteurs sont ainsi invités à commencer leur lecture par ces textes et non pas à sauter d'abord plusieurs pages. Ces premières pages changent toute la perspective de la Bible. La Bible ne commence nullement par présenter les Israélites, pas plus que les chrétiens, disciples de Jésus, mais bien toute l'humanité. La Bible se présente, non pas comme une histoire nationale, mais comme un livre destiné à tout être humain dans une perspective universelle extrêmement ouverte, offrant quelques réponses aux questions que l'humanité se pose. C'est uniquement dans cette optique qu'on pourra comprendre l'élection d'un peuple, qui n'est pas un privilège, une raison de se glorifier, mais une mission de service pour l'humanité. De même, la personne de Jésus et sa mission ne peuvent se comprendre que dans le prolongement de ce service universel pour l'humanité[25].

4. Les approches diachronique et synchronique de Genèse 1-11

Les études critiques de la Bible ont montré que les textes bibliques ne sont pas le produit d'un auteur qui se décide un jour à écrire, mais plutôt l'aboutissement d'une longue

---

25   Sur le caractère universel de la Bible, voir W. Vogels, *God's Universal Covenant: A Biblical Study*, 2e éd., Ottawa, University of Ottawa Press, 1986.

histoire. Ils sont le fruit d'une longue tradition orale, graduellement mise par écrit, d'abord en petites collections,
ensuite en unités plus larges, auxquelles on a fait des ajouts
et des remaniements.

Les méthodes historico-critiques d'analyse des textes
tentent de retracer les différentes étapes de la formation de
ces écrits. Elles cherchent à déterminer comment le texte
était compris à tel ou tel stade, quel changement on y a
introduit. Une telle étude est diachronique: on fait l'étude du
texte à travers *(dia)* le temps *(chronos)*. Cette approche, qui
domine encore les études critiques, privilégie un aspect et en
laisse nécessairement d'autres de côté. Des méthodes nouvelles essaient de récupérer les aspects négligés. Il est intéressant d'étudier la préhistoire du texte, mais ce que les
lecteurs ont maintenant devant eux est le produit final. On
étudie alors le texte d'une manière synchronique, dans sa
forme actuelle, tel qu'il se trouve dans la Bible et donc dans
le canon des Écritures. Chacune des deux approches a ses
avantages et ses limites[26].

Les auteurs qui étudient Genèse 1-11 après l'Exode
optent pour une approche diachronique. Ils espèrent retracer
le développement de la foi d'Israël ou la prise de conscience
qu'Israël a faite de Dieu d'abord comme sauveur puis
comme créateur. Cette hypothèse est en soi discutable. De
plus, la Bible commence avec Genèse 1-11. Je préfère donc
entreprendre mon étude de la Bible avec ces écrits, puisque
la Bible dans sa forme actuelle nous les présente comme le
début. Il s'agit là d'une approche synchronique. Ces deux
optiques se retrouvent également à deux autres niveaux de
l'étude de ces chapitres: la cohérence interne et la cohérence
des unités individuelles.

---

26   Pour plus de détails sur ces deux approches, voir W. Vogels, *La Bible
       entre nos mains: une initiation à la sémiotique* (coll. *De la parole à l'écri-
       ture*, 8), Montréal, Socabi — Éd. Paulines, 1988.

La cohérence interne de Genèse 1-11

Les études historico-critiques ont attiré l'attention sur un manque de logique, sur des répétitions et des contradictions qu'on rencontre dans une lecture suivie de Genèse 1-11. Elles proposent de diviser l'ensemble entre les traditions Yahwiste (J) et sacerdotale (P). Cette solution est diachronique.

Pour peu qu'ils soient attentifs, les lecteurs reconnaîtront facilement le style et les caractéristiques de ces deux traditions et réussiront à dire à quelle tradition chaque péricope appartient: les généalogies *(toledot),* surtout à P, les narrations, surtout à J. Sans entrer dans tous les détails et en généralisant quelque peu, le tableau qui suit présente en gros cette division par tradition.

P   **J**

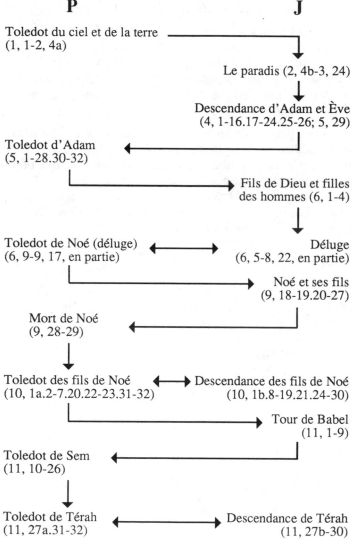

Toledot du ciel et de la terre
(1, 1-2, 4a)

Le paradis (2, 4b-3, 24)

Descendance d'Adam et Ève
(4, 1-16.17-24.25-26; 5, 29)

Toledot d'Adam
(5, 1-28.30-32)

Fils de Dieu et filles
des hommes (6, 1-4)

Toledot de Noé (déluge)   Déluge
(6, 9-9, 17, en partie)   (6, 5-8, 22, en partie)

Noé et ses fils
(9, 18-19.20-27)

Mort de Noé
(9, 28-29)

Toledot des fils de Noé   Descendance des fils de Noé
(10, 1a.2-7.20.22-23.31-32)   (10, 1b.8-19.21.24-30)

Tour de Babel
(11, 1-9)

Toledot de Sem
(11, 10-26)

Toledot de Térah   Descendance de Térah
(11, 27a.31-32)   (11, 27b-30)

Ce tableau permet de faire une lecture suivie de tous les textes de la tradition P, puis de ceux de la tradition J. Il permet également de voir comment le rédacteur final les a regroupés et donc de suivre le mouvement de l'ensemble du texte dans sa forme finale. P présente ses textes comme un enchaînement de généalogies avec quelques narrations. J, tout en parlant de la descendance de plusieurs personnages, consacre beaucoup de temps à la narration de leurs actions. Même si P est plus récent que J, l'ensemble commence avec le récit de la création appartenant à P. On croit généralement que les prêtres sont les responsables de l'édition finale de l'ensemble et qu'ils ont ainsi voulu favoriser leur texte en le mettant en tête. Une telle réponse est une explication historique, donc diachronique. Une étude synchronique doit se demander ce que cela apporte à la compréhension du texte de trouver le récit de la création avant celui du paradis.

Pour certains récits, le rédacteur n'a pas conservé les textes parallèles séparés, mais a mélangé les traditions. Le meilleur exemple est le récit du déluge. Avec un peu d'effort on peut séparer les deux traditions et ainsi retrouver ce qui appartient à P et à J. Mais en combinant ces deux traditions en une seule narration, le rédacteur a écrit un nouveau texte, qui est lu aujourd'hui et doit être compris sous cette forme.

La théorie documentaire est généralement bien acceptée pour Genèse 1-11. Elle résout certaines difficultés du texte, mais plusieurs auteurs essaient présentement de montrer qu'il est également important d'étudier aussi le texte dans sa forme finale[27]. Notre étude appliquera l'approche diachronique sans omettre l'approche synchronique.

---

27   C. Savasta, «Una ipotesi sulla struttura letteraria di Gen 1-11», *Rivista biblica*, 38 (1990), p. 225-229.

La cohérence des unités individuelles
de Genèse 1-11

Le manque de logique entre différents récits a conduit à
la théorie documentaire. Mais en regardant de près certaines
péricopes attribuées à telle ou telle tradition, on retrouve de
nouveau un manque de logique, des répétitions, parfois
même des contradictions. Le récit du paradis, attribué généralement à J, présente en lui-même toutes sortes de difficultés internes[28]. Certains auteurs parlent d'une composition
illogique; ils y découvrent un grand nombre de répétitions;
le nom divin employé est double: «Yahweh Dieu»; à deux
reprises, Dieu place l'être humain dans le jardin (2, 8 et
2, 15); il y a deux arbres au milieu du jardin (2, 9 et 3, 3); le
récit mentionne deux fois l'habillement (3, 7 et 3, 21). La
liste de ces redites pourrait être allongée. On a parlé de qua-
torze doublets! De tout cela on conclut que le texte J actuel a
été composé à partir de plusieurs sources orales ou écrites.
Les solutions proposées sont nombreuses. On suggère entre
autres que le récit actuel serait composé de deux récits indé-
pendants, un récit de création et un récit de paradis. Des
études semblables existent pour plusieurs péricopes de
Genèse 1-11.

Une telle approche des péricopes est clairement diachronique; on cherche à retracer la préhistoire du texte. L'attri-
bution des textes de Genèse 1-11 aux traditions P et J est
arrivée à une certaine unanimité, mais les solutions qu'on
propose pour la préhistoire de chaque péricope individuelle
restent beaucoup plus hypothétiques et n'arrivent jamais à
une acceptation unanime. Des études synchroniques de ces
péricopes montrent qu'elles possèdent souvent une cohérence interne plus grande qu'on ne l'avait cru.

---

28   Un exemple typique d'une approche diachronique de Genèse 2-3:
     J. Vermeylen, «Le récit du paradis et la question des origines du
     Pentateuque», *Bijdragen*, 41 (1980), p. 230-250.

Dans ce volume, j'aurai à l'occasion recours aux résultats d'études diachroniques de ces péricopes mais, généralement, je m'attacherai davantage au texte dans sa forme finale. Mon approche sera surtout synchronique.

Il est impossible de faire une analyse complète de chaque péricope vu les limites de ce volume. Je favoriserai les narrations, puisqu'elles demandent généralement plus d'explications. Sans les omettre, je passerai plus rapidement sur les généalogies; j'indiquerai la signification de ces listes dans leur ensemble et leur fonction dans Genèse 1- 11, mais sans commenter en détail chaque nom et chaque chiffre. Le lecteur pourra poursuivre sa propre recherche dans les études signalées dans la bibliographie.

PREMIÈRE PARTIE

De l'harmonie...

CHAPITRE II

L'harmonie dans le cosmos (Genèse 1, 1-2, 4a)

La «préhistoire» de Genèse 1-11 débute par le texte majestueux de la création (1, 1-2, 4a). Son style ordonné et répétitif montre qu'il appartient à la tradition sacerdotale[1]. Puisque l'auteur a choisi un tel style, l'étude de la structure du texte aidera certainement à mieux saisir le message du récit[2].

1. La structure de Genèse 1

La structure de l'ensemble

Le récit présente l'œuvre de la création dans le schéma d'une semaine, ce qui donne au récit son unité. Il s'ouvre par: «Au commencement, Dieu créa le ciel et la terre» (1, 1)

---

1   Pour référer au récit de la création de Gn 1, 1-2, 4a, on dira simplement Gn 1. Nous avons ici un exemple très clair qui montre que la division en chapitres, introduite au Moyen Âge, n'est pas toujours très heureuse.

2   W. Vogels, «Het bijbelse scheppingsverhaal van Genesis 1», *Objektief*, 8 (1974), n° 3, p. 39-45; ID., «The Biblical Creation Myth of Gen 1:1-2:4a», *Kerygma*, 21 (1987), p. 3-20, avec abondante bibliographie surtout dans la note 3.

et se termine par: «Telle fut l'histoire du ciel et de la terre, quand ils furent créés.» (2, 4a) Les deux versets, en répétant plusieurs termes, forment une inclusion parfaite et indiquent clairement les limites du récit.

L'action proprement dite ne commence qu'avec «Dieu dit» (1, 3), comme nous l'indique la répétition de la même formule au début de tous les autres paragraphes décrivant l'action divine (1, 6. 9. etc.). Le verset 2 appartient à l'introduction et décrit le point de départ à partir duquel Dieu va créer; le verset 1 est le titre du récit.

L'auteur sacré, ne disposant pas d'informations historiques ni scientifiques et écrivant comme théologien, part de l'agir humain pour décrire l'œuvre créatrice de Dieu. Comme les humains, Dieu a travaillé pendant les six jours de la semaine (1, 3-31) et s'est reposé le septième (2, 1-3). Quand un couple décide de construire sa maison, il n'amène pas d'abord ses enfants dans la brousse pour construire la maison autour d'eux; au contraire, il commence par déblayer le terrain, construit la maison, y amène les meubles et finalement, quand tout est prêt, le couple s'installe avec ses enfants dans la nouvelle construction. Dieu a organisé le monde de la même façon. La semaine de travail est divisée en deux. Durant les trois premiers jours, Dieu déblaie le terrain en mettant de l'ordre dans le chaos; il fait ainsi apparaître le temps et les espaces. Durant les trois derniers jours, il introduit les ornements, l'ameublement: les habitants du temps et des espaces. À la fin seulement, quand toute la construction est achevée, il y place la famille humaine.

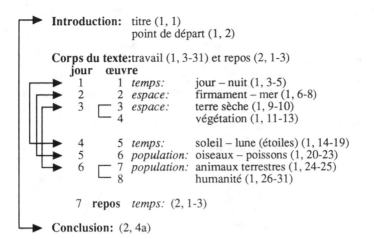

Introduction: titre (1, 1)
                  point de départ (1, 2)

Corps du texte: travail (1, 3-31) et repos (2, 1-3)
     jour   œuvre
       1   1   *temps:*   jour – nuit (1, 3-5)
       2   2   *espace:*   firmament – mer (1, 6-8)
       3   3   *espace:*   terre sèche (1, 9-10)
                4   végétation (1, 11-13)

       4   5   *temps:*   soleil – lune (étoiles) (1, 14-19)
       5   6   *population:*   oiseaux – poissons (1, 20-23)
       6   7   *population:*   animaux terrestres (1, 24-25)
                8   humanité (1, 26-31)

       7 **repos** *temps:* (2, 1-3)

Conclusion: (2, 4a)

Il y a un parallèle parfait entre les trois premiers et les trois derniers jours de travail: les ornements du quatrième jour, le soleil et la lune, correspondent à la division entre le jour et la nuit, le temps, créé le premier jour; les ornements du cinquième jour, les oiseaux et les poissons, sont les habitants du ciel et de la mer, les espaces, créés le deuxième jour; et les ornements du sixième jour, les animaux terrestres et l'humanité, sont les habitants de la terre fertile, l'espace, créé le troisième jour. Il en résulte une structure harmonieuse dans l'ensemble du récit.

Dans une structure si parfaitement balancée, un détail peut étonner. Quand Dieu achève sa première œuvre, le texte conclut: «Il y eut un soir et il y eut un matin: premier jour.» (1, 5) La même formule revient après la deuxième œuvre: «Il y eut un soir et il y eut un matin: deuxième jour.» (1, 8) Cependant, après la troisième œuvre (1, 9-10), cette référence au jour est absente. Au contraire, Dieu poursuit son travail, on dirait qu'il travaille également l'après-midi et, seulement après la végétation, qui est donc la quatrième œuvre (1, 11-12), le texte conclut: «Il y eut un soir et il y eut un matin: troisième jour.» (1, 13) Dieu crée deux œuvres le troisième jour. Le même rythme réapparaît dans les trois derniers jours quand Dieu crée les ornements: une seule œuvre le quatrième et le cinquième jour, mais le sixième jour, correspondant au troisième, de nouveau deux œuvres. Il y a là une certaine irrégularité dans le récit. Je reviendrai sur ce problème des six jours et des huits œuvres.

Un autre détail qui peut surprendre le lecteur moderne est la place qu'occupent les plantes. Elles apparaissent le troisième jour, encore dans la période de la mise en ordre des espaces, et non pas parmi les ornements des trois derniers jours. Les plantes en effet ne bougent pas et, de plus, elles n'ont pas de sang; selon la conception de la vie à l'époque de l'auteur, elles ne possèdent pas de *vraie* vie. Cette conception est importante pour comprendre d'autres détails du texte.

La structure des paragraphes

Après l'étude de la structure de l'ensemble du récit, considérons maintenant la structure des paragraphes décrivant les différentes œuvres de création. Le lecteur note facilement que les mêmes formules reviennent comme des refrains mais qu'il y a également des différences d'expression.

Une lecture critique de ces paragraphes fait surgir certaines questions. Prenons comme exemple la cinquième œuvre: «Dieu dit: "Qu'il y ait des luminaires..." et il en fut ainsi.» (1, 14-15) Le lecteur doit conclure, comme le texte lui-même le suggère, que les luminaires sont bien là. Curieusement, le texte poursuit en disant: «Dieu fit les deux luminaires majeurs...» (1, 16) Si les luminaires sont créés par la seule parole divine, pourquoi Dieu doit-il encore les faire?

Pour résoudre ce problème, séparons les éléments communs et les éléments variables des paragraphes.

éléments communs[3]:

- introduction: «Dieu dit»
- ordre: «Qu'il y ait...»
- exécution: «Et il en fut ainsi»
- évaluation: «Dieu vit que cela était bon»
- temps: «Il y eut un soir et il y eut un matin: ... jour»

éléments variables:

- Dieu sépara, v. 4. 7. (9)
- Dieu appela, v. 5. 8. 10
- Dieu fit, v. 7. 16. 25
- Dieu plaça, v. 17
- Dieu créa, v. 21. 27
- Dieu bénit, v. 22. 28

Les verbes utilisés dans les éléments communs et variables correspondent à deux conceptions différentes de la création. Dans les éléments communs, Dieu crée par sa parole, par une décision de sa volonté. Il parle et les choses apparaissent. Dans les éléments variables, on rencontre un plus grand choix de verbes: les choses inanimées sont «séparées» et «appelées», tandis que les êtres vivants sont «créés» et «bénis». Sans entrer dans le détail, on constate que ces verbes impliquent généralement l'action ou le travail de Dieu pour produire les différentes œuvres. Le récit de Genèse 1 contient deux conceptions du Dieu créateur: Dieu crée par sa parole, Dieu crée par son action. Cette double conception de la création peut s'expliquer, selon l'approche

---

3 Il est vrai que chaque paragraphe ne contient pas toujours tous les éléments.

diachronique, par la suggestion que le texte actuel est basé sur deux sources, un récit où Dieu crée par sa parole *(Wortbericht)* et un récit où il crée par ses actions *(Tatbericht)*[4].

La source qui décrit Dieu comme agissant doit être la plus ancienne, car elle présente une vue plus primitive du Dieu créateur, qui agit plus ou moins comme un humain. Les êtres humains doivent travailler pour faire quelque chose, parler ne suffit pas. L'idée que Dieu n'a qu'à parler pour produire quelque chose suppose une conception plus avancée de Dieu.

Le travail rédactionnel de P

L'étude de la structure de l'ensemble a montré qu'il y a huit œuvres mais seulement six jours. L'étude de chaque paragraphe suggère la présence d'un récit ou d'une source ancienne, où Dieu crée par son action, et d'un récit plus récent, qui présente la création par la parole. Nous pouvons en conclure que l'auteur sacerdotal (P) est responsable du travail rédactionnel.

Le récit plus ancien a dû raconter comment Dieu a travaillé pour créer l'univers et qu'il l'a fait en huit œuvres. Ce récit a été retravaillé par P qui voulait y introduire ses propres vues théologiques. Dieu ne doit pas travailler, il lui suffit de parler pour que tout lui obéisse. Cette caractéristique appartient au langage sacerdotal, comme le montrent les textes juridiques sacerdotaux dans le reste du Pentateuque où Dieu donne des ordres à Moïse qui les exécute. Le même auteur a aussi groupé les huit œuvres en six jours pour rap-

---

4   Hypothèse proposée par W.H. Schmidt, *Die Schöpfungsgeschichte der Priesterschrift. Zur Uberlieferungsgeschichte von Gen 1:1-2:4a* (coll. *Wissenschaftliche Monographien zum Alten und Neuen Testament*, 17), Neukirchen, Neukirchener Verlag, 1964. Cette hypothèse connut un grand succès et reste intéressante, mais elle est également critiquée à cause de certaines faiblesses.

peler au peuple de sanctifier le sabbat. Que Dieu se repose ne peut se comprendre que suite à un récit où Dieu travaille; il n'a pas besoin de repos s'il ne fait que parler. De fait, dans beaucoup de récits extra-bibliques, les dieux retournent à leur temps libre après la création. L'auteur sacerdotal a changé ce temps libre en repos du sabbat.

L'image du Dieu créateur

Ces observations sur la structure de l'ensemble du récit et des paragraphes ainsi que sur le travail rédactionnel de P nous aident à saisir, avant même d'étudier le texte en détail, l'image du Dieu créateur qui en ressort. P écrivait pour des gens exilés ou tout juste revenus d'exil, qui vivaient une grave crise de foi. Jérusalem et le Temple étaient détruits. Selon la mentalité du temps, cela prouvait que Mardouk, le dieu des Babyloniens, était plus puissant que Yahweh, leur propre Dieu. Israël avait été vaincu, mais Yahweh aussi avait perdu la guerre. La situation des gens en exil correspondait à un vrai chaos dont ils ne comprenaient nullement la signification. Le texte répond à ce genre de questions et de doutes.

Le texte souligne d'abord et avant tout *la puissance du Créateur*. Yahweh n'est pas seulement le Dieu d'Israël, il est aussi le créateur de l'univers, ce qui implique qu'il est plus puissant que n'importe quel autre dieu, y compris Mardouk. Certains auteurs suggèrent que Genèse 1 est un récit polémique, écrit en opposition à certains récits babyloniens de création que les Israélites ont dû entendre de leurs voisins[5]. Plusieurs peuples de la région adoraient le soleil et la lune comme des divinités. Le texte biblique par contre insiste sur le fait qu'ils sont des créatures créées par Dieu; il

---

5   G.F. Hasel, «The Polemic Nature of the Genesis Cosmology», *Evangelical Quarterly*, 46 (1974), p. 81-102; A.S. Kapelrud, «The Mythological Features in Genesis Chapter I and the Author's Intentions», *Vetus Testamentum*, 24 (1974), p. 178-186.

omet même leur nom et les appelle simplement «les deux luminaires majeurs» (1, 16).

Dans les mythes de création, on trouve quatre types de création: par naissance, par lutte, par action et par la parole. Les deux premiers supposent le polythéisme et ne se retrouvent pas de façon explicite dans Genèse 1. Le «*toledot* du ciel et de la terre» (2, 4a) pourrait conserver une vague réminiscence de l'idée de naissance. *Toledot* signifie habituellement le fait de donner l'existence (5, 1); dans d'autres contextes, on le traduit souvent par descendance ou génération, traduction qui convient difficilement ici. La TOB traduit «la naissance du ciel et de la terre»; la BJ, par «l'histoire du ciel et de la terre». L'«abîme», *tehom* (1, 2), est très probablement en rapport avec Tiamat, tuée par Mardouk; celui-ci divisa ensuite le corps de Tiamat en deux, formant le firmament avec la partie supérieure et la terre avec la partie inférieure. Cette idée de division se retrouve dans le verbe «séparer» que le texte biblique utilise pour décrire l'action créatrice[6]. Ceci pourrait bien être un souvenir lointain de la création par lutte.

Le texte met davantage en relief les deux autres types de création, par l'action et par la parole. L'auteur sacerdotal a même superposé le concept de création par la parole au concept plus ancien de création par l'action. Dieu n'a qu'à parler et les choses surgissent. L'auteur souligne le pouvoir de Dieu afin de réconforter les gens en exil. Le concept de Dieu créant par sa parole rappelait également au peuple d'obéir à Dieu quand il lui parle. Même si la destruction du Temple avait mis fin à toutes les manifestations religieuses importantes, le peuple pouvait quand même garder son identité en observant la Loi et surtout en respectant le sabbat comme Dieu lui-même l'avait fait au septième jour de la création.

---

6   P. Beauchamp, *Création et séparation: Étude exégétique du chapitre premier de la Genèse*, Paris, Aubier-Montaigne, 1970.

Suggérer que le présent récit combine deux sources, c'est l'approcher de façon diachronique en essayant d'en retracer l'histoire. Une lecture synchronique s'interroge sur la signification du texte dans sa forme présente. En d'autres mots, pourquoi est-ce que P a gardé le vieux récit pour y superposer ses propres vues? Il aurait été plus simple pour lui d'écrire son propre récit, de montrer comment Dieu crée par sa parole. Il se peut, parce que le récit plus ancien de création par action était tellement connu des gens, que P se soit senti obligé de le garder. Mais il y a plus: l'auteur, en gardant les deux conceptions de la création l'une à côté de l'autre, révèle un autre aspect de Dieu. «Dieu dit: "Qu'il y ait un firmament" (...) Dieu fit le firmament.» (1, 6-7) Dieu parle et il agit. Ce que Dieu dit, il le fait et il fait ce qu'il dit[7]. Le texte ne parle pas simplement de la puissance de Dieu, mais aussi de *la fidélité du Créateur*. Les gens en exil avaient certainement besoin d'entendre parler de cette qualité de Dieu. Où étaient toutes les promesses des prophètes? Que penser de la fidélité de Dieu? Dieu n'avait-il pas abandonné son peuple? L'auteur souligne que Dieu garde sa parole, il est un Dieu fiable et fidèle.

2. Les grands moments de la création

Le récit de la création forme un texte bien unifié; il part d'un état initial de chaos (1, 1-2), passe par plusieurs étapes (1, 3-25) avant d'atteindre son sommet dans la création de l'humanité (1, 26-31) pour aboutir à l'état final d'un monde bien organisé, le cosmos (2, 1-4a).

L'état initial (1, 1-2)

La grammaire hébraïque permet deux traductions du début du récit et au moins deux manières de faire le lien

---

7   L.M. Pasinya, «Le cadre littéraire de Gen 1», *Biblica*, 57 (1976), p. 225-
     241.

˷e les versets 1 et 2. Habituellement (comme le fait la BJ), on traduit «Au commencement, Dieu créa le ciel et la terre» (v. 1); le verset sert alors de titre pour l'ensemble du récit et annonce ce que le lecteur y trouvera. À ce titre correspond la finale du récit qui reprend plusieurs des mêmes termes (2, 4a). Si le verset 1 est le titre, il constitue alors une phrase indépendante, suivie d'une autre phrase au verset 2 qui décrit le point de départ de la création, le chaos dont Dieu fera surgir l'ordre. D'autres auteurs (comme le fait la TOB) préfèrent lier le verset 1 au verset 2, «Lorsque Dieu commença la création du ciel et de la terre, la terre était...», ce qui est comparable au début de plusieurs récits de création extra-bibliques.

La date de cet «au commencement» nous échappe; le texte ne répond pas à des questions scientifiques. Il ne nous dit rien non plus sur ce qui pourrait avoir précédé ce début, mais nous renseigne seulement sur ce qui suit ce moment. Le verset affirme cependant que Dieu est présent lors de ce commencement, il semble sortir de son repos pour commencer la création. La Bible utilise plusieurs verbes pour parler de l'action créatrice de Dieu: «séparer», «faire», «modeler» (2, 7) et aussi «créer» *(bara)*, un verbe au sens bien spécial[8]. Contrairement aux autres verbes mentionnés, qui peuvent avoir une personne humaine comme sujet, le sujet du verbe créer en hébreu est toujours Dieu. Le verbe a donc un usage plus limité qu'en français, puisqu'on peut dire qu'un peintre ou qu'un poète crée. De plus, on n'indique jamais la matière dont Dieu se sert pour créer, alors qu'on précise que Dieu utilise «la glaise du sol» pour «modeler» l'être humain (2, 7). L'objet produit est toujours

---

8   R. David, «L'utilisation du verbe bara' dans l'Ancien Testament», *Revue Scriptura*, 2 (1989), p. 11-20; T.J. Finley, «Dimensions of the Hebrew Word for "create" (bara')», *Bibliotheca Sacra*, 148 (1991), p. 409-423; M. Miguens, «Br' and Creation in the Old Testament», *Liber Annuus*, 24 (1974), p. 36-69.

une chose nouvelle et merveilleuse. Il est remarquable que dans le récit, en plus de l'introduction (1, 1) et de la conclusion (2, 3. 4a), le verbe soit utilisé quand apparaît pour la première fois sur terre quelque chose de tout à fait merveilleux, la vie (un être avec du sang, car la vie suppose le sang, 1, 21). Le verbe est ensuite répété jusqu'à trois fois lors de la création de l'humanité (1, 27). Le verbe créer est certainement très typique pour parler de l'œuvre créatrice de Dieu.

L'objet de l'action créatrice de Dieu est «le ciel et la terre». Le premier verset n'indique pas que Dieu vient de créer le «ciel» et la «terre», puisque le ciel n'est créé que le deuxième jour (1, 8) et la terre le troisième (1, 10). En hébreu, pour exprimer l'ensemble, on nomme souvent les deux extrêmes: ciel et terre doivent être compris comme un ensemble et non pas séparément. Le verset 1 exprime que Dieu, au commencement, a créé l'univers. C'est le titre: rien n'est encore accompli, mais la suite du récit décrira comment Dieu a fait l'univers.

On comprend généralement l'action de créer comme étant «faire quelque chose de rien». Une telle définition est philosophique, abstraite et spéculative. Que signifie en effet «rien»? Il est remarquable que, même dans notre langage courant, nous utilisons le mot «rien» dans un sens concret, plus facile à comprendre. En arrivant dans une chambre noire, on dit: «Je ne vois rien»; en fait, on voit les ténèbres. Quelqu'un vient de bousculer une personne par accident et s'excuse et la personne de répondre: «Ce n'est rien»; pourtant, elle a été heurtée. On veut vendre sa vieille voiture et le garagiste dit: «Elle ne vaut plus rien»; pourtant, elle vaut encore quelques dollars (ne serait-ce que le prix du métal au poids!). Le langage biblique aussi est concret et non pas spéculatif.

La Bible, comme d'ailleurs tous les textes extra-bibliques du Proche-Orient ancien, ne décrit pas la création comme la transformation de «rien» en quelque chose, mais comme un passage du chaos au cosmos[9]. Le verset 2, qui représente le point de départ de l'œuvre créatrice, utilise trois images pour décrire ce chaos (nous parlerions de «rien»). La première image parle de la terre: «Or la terre était vague et vide *(tohu bohu)*...» *Tohu* signifie désert, lieu inhabité, vide, le néant, le rien (1 S 12, 21; Is 40, 17) et *bohu* vient renforcer l'idée. Les deux termes réapparaissent ensemble dans deux autres textes bibliques pour décrire un état d'aridité (Jr 4, 23) ou de désolation (Is 34, 11). L'auteur affirme donc que la terre est dans un état de vide, sans vie, un endroit improductif et sans habitants. Elle n'est pas encore la terre telle que nous la connaissons maintenant.

La deuxième image parle de la mer chaotique, «les ténèbres couvraient l'abîme *(tehom)*...» Les ténèbres, qui même pour nous correspondent au «rien» dans un sens concret, couvrent la mer chaotique, appelée Tiamat dans les récits babyloniens. La troisième image pour exprimer le chaos est celle du vent, «un vent terrible *(ruah Élohim)* tournoyait sur les eaux». Il est préférable de traduire *ruah* par vent, et non pas par Esprit comme on le fait parfois. *Élohim*, qui signifie normalement Dieu, est dans certaines expressions utilisé comme superlatif: «une montagne *Élohim*» signifie une haute montagne (Ps 68, 16). L'auteur parle ainsi d'un vent terrible, certainement une chose sans valeur, autre image bien choisie pour décrire le chaos. Ce chaos est le point de départ d'où Dieu fera apparaître le cosmos. La création est un passage du désordre à l'ordre. L'idée d'une création «à partir de rien» *(ex nihilo)* apparaît dans des textes plus récents d'inspiration grecque (2 M 7, 28).

Les exilés, vivant eux-mêmes dans une situation chaotique, sans beaucoup d'espoir, avaient besoin d'entendre que

---

9   S. Niditch, *Chaos to Cosmos: Studies in Biblical Patterns of Creation*, Chico (California), Scholars Press, 1985.

leur Dieu était capable de changer le chaos en ordre. Si Dieu l'a fait une fois au moment de la création, il peut le faire à nouveau. C'est pourquoi les auteurs bibliques utilisent le verbe *bara* pour parler également de la recréation du peuple (20 fois dans Is 40-66; cf. Is 43, 1. 7. 15).

Les étapes préparant la venue de l'humanité (1, 3-25)

Si on veut faire du bon travail, il faut voir clair. Rien de surprenant que Dieu, pour pouvoir mettre de l'ordre dans le chaos, commence par la création de la lumière en séparant la lumière des ténèbres (1, 3-5). De plus, par la succession de la lumière (que Dieu appelle jour) et des ténèbres (que Dieu appelle nuit), le *temps* commence. Avant, il n'y avait que l'éternité de Dieu. Dieu a fixé le premier jour et à partir de celui-ci les jours se succèdent pour former une semaine. Au quatrième jour, qui correspond au premier, on note une autre organisation du temps: «Qu'il y ait des luminaires... pour séparer le jour et la nuit; qu'ils servent de signes, tant pour les saisons (autre traduction, «fêtes») que pour les jours et les années.» (1, 14) On a ainsi les grandes divisions du temps dans la vie humaine: le jour, la semaine, la saison (ou la fête) et l'année. Le récit parle une dernière fois du temps quand il mentionne la sanctification du septième jour. Le temps forme un élément important dans la mise en ordre du cosmos: on le trouve au premier jour comme la toute première œuvre, au quatrième jour, au début de la phase de l'ornementation, et au septième jour qui conclut l'œuvre de la création.

Après l'organisation du temps, Dieu passe à l'organisation des *espaces*. Nous savons que le monde est un globe, le Canada d'un côté et l'Australie aux antipodes. Ce globe tourne autour du soleil. Comment les gens restent «collés» sur ce globe tournant est plutôt mystérieux; pour le com-

prendre, il faut recourir aux explications scientifiques. Rien
d'étonnant qu'aucune culture non-technologique ne se soit
représentée le monde de cette façon-là. Tout lecteur voit que
la conception de l'univers de Genèse 1 ne correspond pas à
la nôtre. La lumière est créée le premier jour (1, 3), mais le
soleil ne vient que le quatrième (1, 14-15). Nous savons
scientifiquement que la lumière vient du soleil, mais cette
affirmation ne correspond pas à notre expérience. Il y a des
jours où le soleil ne se montre pas du tout et pourtant il fait
clair. Notre expérience quotidienne nous montre qu'il y a
une différence entre lumière et soleil. La conception de
l'univers biblique, comme celle de tous les peuples voisins,
est basée sur l'expérience humaine[10].

Nous n'expérimentons pas la rondeur de la terre, mais
nous la voyons plate, comme un disque, et nous constatons
que le firmament touche partout l'horizon: le ciel ressemble
à une grande coupole qui couvre la terre. La pluie tombe
d'en haut à travers ce firmament: il y a donc de l'eau en
haut. Mais il y a aussi des sources, des rivières, des lacs, des
mers; si on creuse, on trouve de l'eau: ce qui montre qu'il y
a aussi de l'eau en bas, «les eaux qui sont sous le firmament... et les eaux qui sont au-dessus le firmament» (1, 7).
Dieu a divisé en deux les eaux de la mer chaotique (*tehom*,
cf. 1, 2) en y insérant le firmament pour les garder séparées.
Nous n'expérimentons pas la terre comme un bateau flottant
sur ces eaux d'en bas, mais nous la sentons ferme, ce qui
veut dire que Dieu a fondé la terre sur des colonnes ou des
socles (Jb 9, 6) dont les bases sont enfoncées dans les eaux
de l'abîme. Au firmament, Dieu a accroché des luminaires
(1, 14), le soleil, la lune et les étoiles. Le soleil fait le par-

---

10   L. Stadelmann, *The Hebrew Conception of the World: A Philological and
      Literary Study* (coll. *Analecta biblica*, 39), Rome, Pontifical Biblical
      Institute, 1970.

cours de ce firmament de l'est à l'ouest durant le jour; ce qu'il fait la nuit pour se rendre le lendemain matin à son point de départ nous échappe.

Cette conception de l'univers se retrouve dans toute la Bible (Ps 104; Jb 38), dans les textes extra-bibliques et elle reste la nôtre dans notre langage quotidien. Tout le monde parle du lever ou du coucher du soleil. Une telle expression est scientifiquement fausse, pourtant personne n'est accusé d'être menteur en parlant d'un coucher de soleil parce que tout le monde en a fait l'expérience. Cela montre bien la distinction entre langage scientifique et langage populaire poétique. À chacun de choisir quel est le plus beau. La conception biblique de l'univers est un langage vrai, mais pas scientifique au sens moderne du mot.

Tout dans le récit souligne l'*ordre* du monde. Cela ressort déjà de la structure de l'ensemble: aux trois premiers jours où Dieu fixe le temps et les espaces correspondent les trois derniers où il apporte les ornements. Il y a un parallélisme parfait et harmonieux entre les deux parties, le quatrième jour correspondant au premier et ainsi de suite. Chaque chose a sa place précise dans un ensemble cohérent où tout se tient. Dieu a aussi prévu que ce monde créé puisse se maintenir: les plantes portent semence (1, 11-12) et la procréation des animaux est garantie par la bénédiction divine (1, 22). Le chaos du point de départ (1, 2) est vraiment transformé en cosmos.

Cet ordre est un vrai succès. Dieu le souligne en évaluant ses œuvres par le même refrain: «Et Dieu vit que cela était bon *(tob).*» (1, 4. 10. 12. 18. 21. 25) L'auteur affirme que tout est bien fait et approprié, malgré le fait qu'on voit aussi dans le monde des choses incompréhensibles, même inutiles et menaçantes. Le mot *tob* a différentes significations: plaisant, beau, pratique, approprié. Tout est fonctionnel et trouve sa place dans l'ensemble. Le texte conclut avec une évaluation de l'ensemble, de tout ce que Dieu a

fait: «Dieu vit tout ce qu'il avait fait: cela était très bon.»
(1, 31) Cette affirmation ajoute un aspect intéressant à la
valeur de l'ensemble de la création. Par exemple, après la
séparation de la lumière et des ténèbres, le texte dit: «Dieu
vit que la lumière était bonne.» (1, 4) Les ténèbres, qui
appartiennent au chaos (1, 2), ne sont donc pas créées par
Dieu et ne sont pas jugées «bonnes». Pourtant, Dieu leur
donne un nom, ce qui veut dire qu'il détermine leur destinée: «Dieu appela la lumière "jour" et les ténèbres
"nuit".» (1, 5) Les ténèbres entrent dans l'ordre, font partie
du temps réglementé et participent ainsi à l'évaluation de
l'ensemble «très bon». Telle est en effet notre expérience
humaine: les ténèbres font partie de l'ordre car, la nuit,
elles favorisent le sommeil; par ailleurs, les ténèbres font
peur et nous rappellent que le chaos, même mis sous contrôle, pourrait reprendre le dessus.

La création de l'humanité (1, 26-31)

Plusieurs aspects du texte soulignent le caractère unique
de l'humanité. Le récit de la création arrive à son sommet.
L'humanité vient à la fin comme dernière œuvre; tout est
prêt maintenant pour la recevoir. Le paragraphe décrit son
rôle par rapport à ce qui a été créé avant, la terre, les animaux et les plantes. La description des ornements des trois
derniers jours est généralement plus longue que celle du
temps et des espaces des trois premiers jours, mais la
description de la création de l'humanité est la plus longue de
toutes. Le texte devient même poétique (1, 27). Pour la création des plantes, le texte dit: «Que la terre verdisse...»
(1, 11); pour les poissons: «Que les eaux grouillent...»
(1, 20); pour les animaux terrestres: «Que la terre pro-
duise...» (1, 24). Toutes ces créatures viennent d'en bas, la
terre fournit la matière et elle possède une force de produc-
tion. Mais la terre est incapable de produire l'humanité, il
faut une autre force: «Faisons l'homme *(adam)* à notre

image.» (1, 26) L'humanité vient d'en haut, après une consultation de Dieu avec sa cour céleste (Jb 1, 6)[11].

Le terme *adam* est singulier, mais la suite du texte montre qu'il est pris dans un sens collectif: «Qu'ils dominent...» Le texte parle de la création de l'humanité, de la personne humaine. Le texte distingue plusieurs espèces chez les plantes (1, 11-12), les oiseaux et les poissons (1, 21) et les animaux terrestres (1, 24-25), mais il ne fait aucune allusion à différentes espèces d'êtres humains. Il n'y a que la personne humaine, peu importe sa race, sa religion ou sa condition sociale.

Le texte décrit la *nature humaine* dans un petit poème (1, 27):

Dieu créa l'homme[12]
à l'image de Dieu il le créa
mâle et femelle il les créa

Le poème comporte trois vers, chacun illustrant un aspect de la nature humaine. Le premier vers affirme que la personne humaine est une créature. Même si l'ensemble du paragraphe souligne sa place unique et privilégiée, l'auteur, en utilisant le verbe technique «créer» *(bara)*, qu'il répète trois fois, souligne que la personne humaine est créée par Dieu et donc limitée.

Le deuxième vers ajoute que cette personne humaine créée est «à l'image *(selem)* de Dieu»; le verset précédent ajoutait «comme notre ressemblance *(demut)*» (1, 26). Malgré les discussions entourant la signification exacte de

---

11   G.F. Hasel, «The Meaning of "Let us" in Gen 1, 26», *Andrews University Seminary Studies*, 13 (1975), p. 58-66.

12   Pour des raisons de critique textuelle, nous supprimons «à son image» du verset 27a. Il semble une répétition de la même expression au verset 27b et brise le rythme du poème. Ceci est confirmé par le texte grec de la Septante où «à son image» est absent du verset 27a.

ces deux termes[13], on sent l'importance de cette affirmation.
Le mot *selem*, généralement traduit par «image», réfère souvent à une chose concrète, telle une peinture ou une statue,
par laquelle on peut se faire une bonne idée de la personne
représentée. Le texte ajoute «comme notre ressemblance
(demut); ce terme correspond généralement à une notion
abstraite, une similitude ou une analogie[14]. Il vient qualifier
le premier terme en en diminuant la force. On trouve la
même formulation, mais en ordre inverse, pour indiquer la
conformité entre Adam et son fils (5, 3). Le fils ressemble à
son père, mais sans être identique. Quand on voit une personne humaine, on voit une copie ou une reproduction de
Dieu, mais seulement de façon analogue.

Les rois avaient l'habitude de placer leur statue là où ils
n'étaient pas présents pour manifester leur autorité. Au
moment de la création, Dieu aussi a laissé son image sur
terre avant de se retirer. En Égypte et en Mésopotamie, le roi
était l'image de Dieu; dans la Bible, chaque être humain
constitue cette image de Dieu et a reçu un pouvoir royal sur
la création. En créant la personne humaine à son image,
Dieu a aussi acquis un partenaire, quelqu'un qui lui ressemble, avec qui il peut entrer en dialogue et en relation. L'être
humain à l'image d'un Dieu relationnel est lui aussi relationnel. Israël a toujours rejeté la tentation de faire des images

---

13   H. Cazelles, «Selem et demût en Gn 1, 26-28», *La vie de la Parole: De
     l'Ancien au Nouveau Testament*, Études d'exégèse et d'herméneutique
     bibliques offertes à Pierre Grelot, Paris, Desclée, 1987, p. 103-106; J.-G.
     Heintz, «"L'homme créé à l'image de Dieu" (Genèse 1, 26-27). Pierre de
     touche de l'interprétation biblique» (coll. *Cahier biblique*, 25), *Foi et vie*,
     85 (1986), p. 53-64; P. Lefebvre, «Étude sur le thème de l'homme "image
     et ressemblance de Dieu" en Gn 1, 26-27», *Revue Scriptura*, 2 (1989),
     p. 33-42.

14   Il existe un texte en araméen ancien où le mot correspondant à l'hébreu
     demût est utilisé pour une statue; voir P.-É. Dion, «Image et ressemblance
     en araméen ancien (Tell Fakhariyah)», *Science et esprit*, 34 (1982),
     p. 151-153.

sculptées de Dieu (Ex 20, 5) car seule la personne humaine est l'image de Dieu.

Affirmer que la personne humaine est l'image de Dieu c'est, d'une certaine façon, en dire davantage sur Dieu que sur l'être humain. Si je vois un enfant dont on me dit qu'il ressemble à sa mère, que je n'ai jamais vue, je peux me faire une idée de cette femme. Personne n'a jamais vu Dieu, mais nous voyons des êtres humains dont on dit qu'ils sont l'image de Dieu. Par eux, je peux me faire une idée de Dieu. La bonté, la beauté des êtres humains me révèlent ce que peut être la bonté, la beauté de Dieu.

Le troisième vers distingue dans l'humanité «mâle et femelle» (le texte ne dit pas «homme et femme»)[15]. La Bible ne fait jamais cette distinction en Dieu, mais réserve ces termes pour le monde animal. L'humanité a donc une chose en commun avec les animaux, ce qui sera confirmé dans la suite du texte. L'être humain est vraiment un être unique, une créature qui, d'une part, appartient au monde divin mais en même temps fait partie du monde terrestre ou animal.

Le texte se poursuit par une description de la *fonction humaine* sur terre, liée à la nature particulière de l'humanité. Après l'affirmation de la distinction entre mâle et femelle, le texte lie à cet aspect de la nature humaine une première mission: «Dieu les bénit et leur dit: "Soyez féconds, multipliez, emplissez la terre".» (1, 28)[16] L'auteur reprend en termes identiques la formule qu'il a déjà utilisée pour les autres êtres vivants qui ont en commun avec l'humanité d'être mâle et femelle (1, 22; les plantes par contre se multiplient par la semence, 1, 11-12). Dieu accorde à l'humanité le pou-

---

15   P.A. Bird, «"Male and Female He Created Them", Gen 1, 27b in the Context of the Priestly Account of Creation», *Harvard Theological Review*, 74 (1981), p. 129-159.

16   M. Gilbert, «"Soyez féconds et multipliez" Gen 1, 28», *Nouvelle revue théologique*, 96 (1974), p. 729-742.

voir de poursuivre l'œuvre du créateur en devenant procréateur, mais le texte souligne en même temps que la vie reste
toujours le fruit d'une bénédiction divine.

Le texte attribue à l'humanité une autre mission qui lui
est propre et unique. En créant l'humanité à son image, Dieu
lui a confié un pouvoir royal sur la création: «Qu'ils dominent... Soumettez-la (la terre); dominez sur les poissons de la
mer, les oiseaux du ciel et tous les animaux qui rampent sur
la terre.» (1, 26. 28) Dans beaucoup de mythes de création,
l'humanité a été créée pour travailler pour les dieux, pour
que ces derniers aient du temps libre. Les humains sont les
serviteurs des dieux. Dans le récit biblique, la fonction de
l'humanité est en rapport avec le monde. Mais cette fonction
aussi tombe sous la bénédiction divine: «Dieu les bénit...»
Par sa bénédiction, Dieu rend l'humanité capable d'accomplir cette mission, il ne fera pas le travail à sa place. La
bénédiction est toujours en rapport avec la vie, la fertilité, la
fécondité, la croissance, la prospérité et le succès.

Certains ont accusé la tradition judéo-chrétienne d'être
la grande responsable des graves problèmes du monde
actuel. Le «multipliez» serait la cause de la surpopulation et
le «soumettez» aurait justifié l'exploitation égoïste de la
terre et de ses ressources, conduisant à la pollution de notre
terre[17]. Il est donc important de connaître la signification
exacte du terme «domination» dans ce texte[18]. Le verbe

17   Cette accusation fut formulée dans l'article choc d'un historien de
     l'University of California, Los Angeles, Lynn White Jr., «The Historical
     Roots of Our Ecologic Crisis», *Science*, 155 (1967), p. 1203-1207:
     «Christianity... not only established a dualism of man and nature, but also
     insisted that it is God's will that man exploit nature for his proper ends»
     (p. 1205).

18   J.-J. Lavoie, «Gn 1, 1-2, 4a. Étude exégétique et écologique», *Revue
     Scriptura*, 2 (1989), p. 21-32; W. Vogels, «Bible et écologie: Dieu,
     l'homme et la nature», *Prêtre et pasteur*, 82 (1979), p. 199-208; Id., «De
     mens, schepsel en beheerder (Gen 1, 26-28)», *Collationes*, 19 (1989),
     p. 263-291.

«dominer» *(radah)* se retrouve 22 fois dans l'Ancien Testament et s'applique toujours aux relations entre des êtres humains, excepté ici où il s'agit des animaux (1, 26. 28), êtres qui ont beaucoup en commun avec les humains. Comme eux ils ont du sang, ils sont créés *(bara,* 1, 21) et bénis par Dieu pour leur procréation (1, 22). Le sujet du verbe «dominer» est souvent le roi (1 R 5, 4; Ps 72, 8), dont la fonction est de promouvoir la justice et la paix, avec une préoccupation particulière pour les faibles, et non pas de chercher son propre intérêt. La fonction royale de l'humanité de «domination» en est une de service pour promouvoir l'harmonie (justice et paix) dans le monde créé et non pas pour l'exploiter.

Le verbe «soumettre» *(kabash),* employé 14 fois dans l'Ancien Testament, contient une nuance de violence. Il est utilisé par exemple pour décrire la conquête de la terre promise (Jos 18, 1), responsabilité particulière du roi (2 S 8, 11). La conquête de la terre promise n'est pas sa destruction, ce qui la rendrait inhabitable, mais l'enlèvement de tous les obstacles pour qu'on puisse y vivre en paix. Telle est aussi la mission de l'humanité par rapport à «la terre». Dieu a mis de l'ordre dans le chaos, mais le chaos n'est pas détruit: il est toujours prêt à détruire le cosmos, comme le prouve le récit du déluge. La mission royale de l'humanité est d'empêcher que le chaos reprenne le dessus et de travailler à maintenir le cosmos pour que tous puissent y vivre dans la paix et la prospérité. Pour ce faire, l'humanité devra s'inspirer des principes du créateur lui-même, qui a voulu un univers bien ordonné et bon. Notons que le texte parle uniquement de soumettre «la terre» dans un récit qui mentionne souvent «le ciel et la terre» (1, 1; 2, 1. 4a). Le pouvoir royal de l'humanité est limité.

Ce passage fournit aussi la réponse au pourquoi de la création. En créant le monde, Dieu avait un projet. Il a créé l'humanité parce qu'il voulait avoir un vis-à-vis, avec qui il

peut entrer en relation. Pour l'humanité, Dieu a créé le
monde et le lui a confié.

En plus de la description de la nature humaine et de la
mission de l'humanité, le passage mentionne *la diète de
l'humanité*, ainsi que celle des animaux (1, 29-30): les deux
sont supposés être végétariens[19]. Seule la diète après le
déluge, au début du nouveau monde, inclura la viande
(9, 1-4). Le sang, symbole de vie, constitue la différence
fondamentale entre plantes et animaux: en ne mangeant que
des plantes, aucune vie n'est détruite. Par cette image, le
récit met l'accent sur l'harmonie et la paix, le monde idéal
sans meurtre ni violence dont chacun rêve.

Même si les animaux et les humains sont végétariens,
on note pourtant une différence. Les animaux reçoivent
«toute la verdure des plantes» (1, 30). Après avoir brouté à
un endroit, l'animal va ailleurs pour chercher sa nourriture.
Les humains par contre reçoivent «toutes herbes portant
semence... et tous les arbres qui ont des fruits portant
semence» (1, 29). Le verset mentionne deux fois le mot
«semence», mot déjà utilisé (1, 11-12). Les humains savent
qu'un fruit ou une plante contient une semence et qu'ils peuvent la planter pour qu'eux-mêmes et leurs propres enfants
aient de la nourriture dans l'avenir. Ce petit détail illustre
comment la soumission de la terre doit être faite avec discernement.

L'état final (2, 1-4a)

La création de l'humanité se place à l'intérieur de la
semaine de travail et, même si le sommet est atteint, le récit

---

19   L. Dequeker, «"Green Herbage and Trees Bearing Fruit" (Gen 1, 28-30;
     9, 1-3). Vegetarians or predominance of man over the animals?»,
     Bijdragen, 38 (1977), p. 118-127; A. Wenin, «Les énigmes du don de la
     nourriture dans les récits bibliques de création», *Cahiers de l'école des
     sciences philosophiques et religieuses*, 9 (1991), p. 125-141.

n'est pas terminé. Il revient au créateur, maître «du ciel et de la terre», mentionné au tout début (1, 1). L'auteur ajoute un autre jour, le septième, spécialement pour Dieu. Ce jour constitue la fin de la création: «Dieu conclut au septième jour l'ouvrage qu'il avait fait.» (2, 2) Dieu a fini son travail, il vient de confier à l'humanité le soin de s'occuper de la terre et, comme il a confiance en l'humanité, il se retire pour aller se reposer, «il chôma»[20]. Comme Dieu avait béni les poissons, les oiseaux (1, 22) et les humains (1, 28) en vue de la multiplication, il bénit maintenant ce jour (2, 3), également en vue de donner la vie, car le repos de ce jour procure à chacun la chance de se renouveler. Il sanctifie même ce jour pour donner aux humains l'occasion de s'émerveiller de tout ce qui «est très bon». Travail et repos reçoivent ainsi leur temps déterminé, le travail pour produire, le repos pour apprécier et jouir de ce qui fut produit.

---

20 B.F. Batto, «The Sleeping God: An Ancient Near Eastern Motif of Divine Sovereignty», *Biblica*, 68 (1987), p. 153-177; A.G. Martin, «Le repos de la création», *La revue réformée*, 42 (1991), n° 3, p. 11-17.

CHAPITRE III

L'harmonie dans l'existence humaine (Genèse 2, 4b-24)

Le récit du paradis qui suit le récit de la création, si bien structuré, est tout à fait différent. Il ressemble plus aux histoires merveilleuses que nos mamans nous racontaient quand nous étions jeunes dans lesquelles les animaux parlent. On a suggéré que Genèse 1 est l'œuvre d'un théologien et Genèse 2-3[1], celle d'un catéchète.

1. La variété des lectures de Genèse 2-3

Aucun texte de la Bible n'est probablement mieux connu que l'histoire d'Adam et Ève mais il a été interprété, tout au long de l'histoire jusqu'à aujourd'hui, de bien des façons[2]. Le texte reste toujours le même, mais sa compré-

---

[1]   Comme Genèse 1 réfère à Gn 1, 1-2, 4a, ainsi Genèse 2-3 réfère à Gn 2, 4b-3, 24.

[2]   Dans W. Vogels, *Bijbellezen Nu*, Mechelen, Werkgenootschap voor Catechese, 1982, j'ai appliqué plusieurs méthodes à Genèse 2-3: I. Lecture historico-critique: critique des formes, critique des sources, critique de la rédaction; II. Lecture sémiotique; III. Critique rhétorique; IV. Lecture psychanalytique; V. Lecture matérialiste; VI. Lecture fondamentaliste. Sous une forme plus brève, voir W. Vogels, *Comprends-tu ce que tu lis? Les approches de la Bible* (coll. *Les carnets bibliques de Socabi*, 45), Ottawa, Novalis, 1984.

hension change avec l'évolution de l'humanité. De nouvelles découvertes et de nouvelles questions que nous nous posons nous forcent à retourner à ce texte ancien qui continue à nous parler et à nous interpeller mais de manières différentes et, espérons-le, toujours plus enrichissantes.

Son lien avec le récit précédent

Le texte biblique vient de décrire comment Dieu a créé l'univers en six jours et, quand tout est là, comment il se retire et se repose le septième jour. À la surprise des lecteurs, le texte poursuit en affirmant qu'il n'y avait encore rien, même pas d'homme (2, 5)... dont on vient de raconter la création (1, 26-27)! Très longtemps (et même certaines personnes encore aujourd'hui) on n'y voyait aucun problème. L'auteur aurait fait une sorte de retour en arrière pour nous décrire en détail les événements du sixième jour, la création des animaux terrestres et de l'humanité. En Genèse 1, l'auteur affirme simplement le *fait* que Dieu les a créés; en Genèse 2, il raconte longuement *comment* Dieu les a faits.

Les grandes différences de vocabulaire, de style et de théologie entre les deux récits rendent cette solution inacceptable. Ces variantes sont à l'origine de la théorie documentaire[3] qui attribue Genèse 1 à la tradition sacerdotale (P) et Genèse 2-3 à la tradition yahwiste (J). On parle ainsi du «premier» (Gn 1) et du «second récit de la création» (Gn 2). Chaque auteur raconte la création à sa façon, selon les besoins de son public: P au peuple en exil, J aux gens qui vivaient comme dans un paradis à l'époque de la grande prospérité sous Salomon. Dans une telle approche diachronique, on explique alors le problème du lien entre Genèse 1 et Genèse 2 en les considérant comme deux récits parallèles.

---

3   Pour la théorie documentaire, voir plus haut, p. 19.

De plus, si on tient Genèse 2 pour un récit de création, on le sépare alors de Genèse 3, souvent appelé «le récit de la chute».

Lorsqu'on y regarde de plus près, il est difficile de qualifier Genèse 2 de récit de création[4]. Rien n'y est dit sur l'origine de la terre, de la mer, du firmament, du soleil, de la lune et des autres éléments dont parle P. Tout est centré sur l'humanité qui est placée dans un jardin puis en est expulsée. Genèse 2 ne peut pas être séparé de Genèse 3, les deux forment un seul récit qu'on pourrait intituler «le récit du paradis».

Dans une telle perspective, qui se veut synchronique, en considérant le texte dans sa forme canonique, telle qu'on le trouve dans la Bible, la question du lien entre Genèse 1 et Genèse 2-3 reste posée. Le récit de la création (Gn 1) est plus cosmologique, centré sur l'univers; le récit du paradis (Gn 2-3) est plus existentiel, centré sur l'humanité placée dans cet univers créé par Dieu et non pas par elle-même. Le premier récit décrit l'«ordre» qui est nécessaire pour pouvoir parler de la «liberté» humaine dont il est question dans le deuxième récit.

La sagesse égytienne a un concept clé appelé *maat*, difficile à traduire; on suggère parfois justice ou vérité. Ce *maat* est cosmologique et représente l'ordre que le créateur a mis dans l'univers. Mais *maat* est aussi éthique car il détermine la vie humaine. La personne humaine, en vivant en harmonie avec *maat*, maintient et développe l'ordre dans le monde. Le récit de la création souligne fortement l'ordre dans le monde: le tout est vraiment «très bon». Est-ce que l'humanité, placée dans un cosmos plein d'harmonie, maintiendra et développera, ou au contraire détruira cette harmonie?

---

4   Le changement est remarquable dans la BJ: dans l'édition de 1961, Genèse 2 était intitulé «Second récit de la création. Le paradis»; dans la nouvelle édition de 1986, il devient «L'épreuve de la liberté. Le paradis».

Lecture littérale ou symbolique

Ce que bien des chrétiens, qui n'ont peut-être jamais lu le texte biblique, connaissent du récit du paradis correspond à une lecture littérale de la Bible. Le récit parle du premier couple humain: l'homme appelé Adam fut modelé par Dieu de la glaise du sol, Dieu l'a endormi et, d'une de ses côtes, il a formé la première femme appelée Ève. Ce couple a vécu dans un paradis à propos duquel le texte fournit assez de détails géographiques pour pouvoir le situer en Mésopotamie du nord ou du sud (l'Irak ou l'Iran actuels). Dieu a voulu éprouver Adam et Ève en leur défendant de manger du fruit d'un arbre. Le diable, sous la forme d'un serpent, a tenté et réussi à convaincre la femme, et elle à son tour son mari, de manger de ce fruit, plus précisément d'une pomme. Et voilà ce qui est à l'origine de toutes les misères humaines comme la souffrance et la mort, car Dieu n'a pas tardé à punir ce couple ingrat. Heureusement tout n'est pas perdu, car Dieu a aussi promis un sauveur. Certaines interprétations présentent la Vierge comme étant ce sauveur. C'est ce qu'illustrent les statues la représentant écrasant la tête du serpent.

Telle fut la lecture qu'on a faite de ce récit pendant des siècles et elle est encore bien répandue de nos jours. Elle a conduit à l'argumentation plutôt comique d'un médecin écossais, James Young Simpson, qui trouvait dans ce récit la preuve que l'usage d'anesthésie était moralement acceptable puisque Dieu avait endormi Adam avant son opération[5]. Mais il y a des abus plus graves avec des résultats plus désastreux. L'Église a basé sur cette lecture la doctrine du péché originel, comme si par la faute d'Adam et Ève (et quelle faute: le fait de manger d'une pomme!) toute l'humanité était condamnée. On a même dû «inventer» un endroit pour les enfants morts sans baptême: ils ne peuvent pas

---

5   Voir plus haut, p. 24-25.

entrer au ciel avec la tache du péché originel, ils doivent aller aux limbes.

L'image qu'on retient de Dieu après une telle lecture n'est pas très stimulante. D'abord, pourquoi avoir planté cet arbre? On dirait que Dieu l'a fait uniquement pour nous éprouver. Et puis, peut-on parler d'une proportion entre crime et châtiment? On cherche également dans le récit toutes sortes de règles de conduite morale. Comme le texte parle de nudité et de honte, on dénonce la corruption sexuelle de notre monde où la pudeur n'a plus sa place. La femme est celle qui en paie le prix! L'homme est le chef de la famille, la femme est son aide et donc à son service. Puisqu'elle a fait tomber l'homme, elle représente un perpétuel danger. Dans certaines sectes, on refuse à la femme des calmants au moment de l'accouchement, car le texte affirme qu'elle enfantera dans la douleur.

La liste pourrait être allongée, mais ces quelques exemples montrent suffisamment l'impact de Genèse 2-3 sur les croyances et le comportement moral des chrétiens. On est d'autant plus surpris de constater que ce texte, si important pour nous, n'occupe pas une telle place dans la tradition biblique. Il n'y a pratiquement pas de références claires à ce récit dans le reste de l'Ancien Testament et très peu dans le Nouveau.

Cette lecture littérale est une lecture fondamentaliste ou historicisante. Au nom de la fidélité à la Bible, on la rend incroyable. Une lecture un tant soit peu critique discerne les difficultés, comme par exemple les contradictions dans l'ordre de la création en Genèse 1 et 2[6], qui montrent que ces textes ne sont ni historiques, ni scientifiques, mais mythiques. Le lecteur doit donc chercher ce que le mythe veut communiquer sous une forme symbolique.

---

6   Voir plus haut, p. 17-18.

Certains auteurs pensent que le Yahwiste, écrivant au temps de Salomon ou peut-être de David, évoque dans le récit d'Adam et Ève le comportement de David avec Bethsabée (2 S 11-12)[7]. Le roi David avait tout ce qu'il pouvait désirer, il vivait vraiment dans un paradis comme Adam. Mais comme Adam désirait le fruit défendu, ainsi David désirait cette femme à tout prix, au risque de tout perdre. Les suites du péché d'Adam correspondent aux souffrances que David connut à partir de ce moment dans sa famille où régnèrent la violence et le désordre sexuel. Limiter le symbolisme au roi David nous semble cependant trop restreint; le texte parle de l'humanité tout entière.

Lecture diachronique ou synchronique

Les premières approches critiques de Genèse 2-3 furent surtout le fruit d'études diachroniques utilisant les méthodes historico-critiques. On souligne alors le manque de logique du texte et les nombreuses répétitions, comme par exemple le double habillement (3, 7. 21), ce qui conduit ceux qui pratiquent la critique des sources à distinguer plusieurs sources dans le récit. Une hypothèse assez répandue prétend que le Yahwiste a fusionné un récit de création et un récit de paradis. Des auteurs pratiquant la critique de la rédaction suggèrent qu'un récit archaïque a été retravaillé par plusieurs rédacteurs[8].

De telles études montrent comment le texte biblique a évolué et a été adapté aux conditions changeantes du peuple, mais elles demeurent hypothétiques. Le lecteur a maintenant entre les mains non pas les différentes couches du texte, mais le récit sous sa forme actuelle. Peu importe qui est res-

---

7   W. Brueggemann, «David and His Theologian», *Catholic Biblical Quarterly*, 30 (1968), p. 156-181.

8   Voir plus haut, p. 36.

ponsable de la forme finale du texte, cette personne a certainement voulu nous laisser un texte cohérent avec un message; c'est ce qu'une approche synchronique veut dégager[9].

Nous appliquerons au texte quelques grands principes de la sémiotique[10]. Rappelons-en les éléments fondamentaux. Un récit est le résultat d'une transformation d'un état à un autre. Le point de départ est un état négatif (à ne pas comprendre dans un sens péjoratif ou moral), un manque. Si l'objet recherché est là dès le début, il n'y a pas de récit possible. Si la transformation réussit, la fin du récit consistera dans un état positif, le manque aura été comblé. On a remarqué la présence du même déroulement dans le récit de la création, dans lequel le chaos est transformé en cosmos.

Ce principe fondamental, fermement établi par les études sémiotiques, sera notre guide. Il montrera que le texte qui va de 2, 4b à 3, 24 forme une parfaite unité, consistant en un diptyque de tableaux parallèles en antithèse (2, 4b-24 et 2, 25-3, 24). Même si le texte forme un tout, nous y consacrons deux chapitres dans ce livre à cause de la longueur du texte. Toutefois, notre analyse tiendra compte des rapports entre les deux tableaux et, à la fin, nous montrerons comment l'ensemble se tient. Le principe voulant qu'un texte soit le résultat d'une transformation d'un état à un autre conduira aussi à voir comment le macro-texte (Gn 2-3) est composé de plusieurs micro-textes et comment ils sont liés les uns aux autres.

---

9   Autre étude avec une telle approche: R. Hinschberger, «Une lecture synchronique de Gn 2-3», *Revue des sciences religieuses*, 63 (1989), p. 1-16.

10   W. Vogels, *Reading and Preaching the Bible: A New Semiotic Approach* (coll. *Background Books*, 4), Wilmington, M. Glazier, 1986; Id., *La Bible entre nos mains: Une initiation à la sémiotique* (coll. *De la parole à l'écriture*, 8), Montréal/Paris, Socabi/Éditions Paulines/Médiaspaul, 1988.

En plus de ce principe, nous attirerons l'attention sur les contrastes et les oppositions qui sont tellement importants dans ces récits. Le sens d'un terme provient en effet de son opposé, on ne peut pas par exemple parler de «riche» s'il n'y a pas de «pauvre».

Lecture patriarcale ou féministe[11]

Il est enrichissant de lire tout ce que les commentaires patristiques et rabbiniques ont pu dire sur la relation homme-femme en se basant sur Genèse 2-3. Citons ce que Jean De Fraine, auteur respecté pour ses études sur la Genèse, écrivait il y a une trentaine d'années comme commentaire de Genèse 2, 18-24. Il présente trois idées exprimées selon lui par l'image de la côte: 1. le lien solide entre l'homme et la femme; 2. la dignité spéciale de l'homme, à qui d'autre part la femme doit être soumise; 3. l'égalité naturelle entre l'homme et la femme[12]. Personne à cette époque (qui n'est pourtant pas le Moyen Âge!) ne se posait de questions, même s'il est plutôt curieux de parler d'égalité entre homme et femme et d'affirmer du même souffle que l'homme est supérieur! D'une certaine façon, il n'y a rien de surprenant à ce que l'interprétation faite par des hommes, souvent des clercs, de textes écrits très probablement par des hommes, pût conduire à une lecture patriarcale qui se permettait de telles affirmations.

Alors que les découvertes archéologiques et scientifiques avaient forcé les exégètes à revoir leur lecture de Genèse 1-11, notre société connaît d'autres changements qui nous obligent une fois de plus à retourner vers les mêmes textes avec une

---

11   W. Vogels, «"It Is not Good that the 'Mensch' Should Be Alone; I Will Make Him/Her a Helper Fit for Him/Her" (Gen 2:18)», *Église et théologie*, 9 (1978), p. 9-35, surtout la partie II, «Equal but superior and inferior», p. 15-25, avec abondante bibliographie.

12   J. De Fraine, *La Bible et l'origine de l'homme* (coll. *Museum Lessianum section biblique*, 3), Bruges, Desclée de Brouwer, 1961, p. 58-59.

autre sensibilité. Grâce au mouvement de libération des femmes, nous sommes devenus un peu plus conscients des injustices qui leur sont faites. De plus, l'étude de la Bible n'est plus réservée aux hommes uniquement, beaucoup de femmes sont engagées dans la même recherche exégétique. Une lecture féministe jette une autre lumière sur ces mêmes textes bibliques. Certaines exégètes tombent même dans l'excès contraire: homme et femme sont égaux, mais la femme est supérieure et l'homme inférieur. Il est intéressant de comparer les arguments des deux camps pour voir qui gagnera le combat pour la supériorité dans l'égalité! Pour le moment, essayons d'écouter les arguments des deux côtés et d'en saisir la validité avant de prendre position.

L'homme fut créé *le premier* (2, 7; c'est l'argument de 1 Tm 2, 11-13), ce qui montre clairement qu'il était le premier dans l'esprit du créateur; le reste a été créé en fonction de lui. Toute l'histoire de Genèse 2 est centrée sur l'homme. À cela on peut ajouter la prééminence du premier-né dans la Bible. Mais cet argument peut être renversé: le fait que la femme vienne *la dernière* montre précisément sa supériorité. Tous les exégètes affirment que dans le récit de la création de P (Gn 1), le sommet est atteint à la fin avec la création de l'humanité. Pourquoi serait-ce différent dans le texte J? Ce qui vient à la fin doit également être le plus précieux. On peut aussi invoquer, et c'est un argument qu'on trouve dans d'autres textes mythologiques, que Dieu, après avoir créé l'homme et ensuite les animaux, a acquis plus d'expérience, ce qui lui a permis de créer son chef d'œuvre à la fin. La création de l'homme n'occupe d'ailleurs qu'un seul verset, tandis que la création de la femme reçoit plus d'emphase.

Le fait que la femme soit prise de l'homme est invoqué comme deuxième argument pour prouver la supériorité masculine. Le texte dit clairement que Yahweh a pris la côte «de *(min)* l'homme» (2, 22; cf. l'argument de 1 Co 11, 8). Il n'y a aucun doute que le tout est supérieur à une partie. Mais cet argument mène à des conclusions plutôt étranges. Le texte dit que Dieu modela l'homme avec de la poussière prise «du *(min)* sol» (2, 7). L'auteur utilise le même mot, *min;* si on veut rester logique avec la conclusion précédente, il faudrait dire que la terre est supérieure à l'homme! On pourrait même ajouter que la vie dérivée d'un être vivant doit être supérieure à celle prise de matière inerte.

L'argument apparemment décisif pour prouver la supériorité de l'homme est que Dieu, après lui avoir confié le jardin, veut lui donner encore plus: «une aide» (2, 18; cf. l'argument de 1 Co 11, 9). La femme est donc l'aide de l'homme, dans bien des cas même sa servante. Mais même cet argument est renversé. Le mot «aide *(ezer)*», qui revient 19 fois dans l'Ancien Testament, est rarement appliqué à des humains (seulement trois fois: Is 30, 5; Éz 12, 14; Dn 11, 34), mais il réfère généralement à Dieu; c'est lui qui est notre «aide» et notre secours (Ps 33, 20). Personne n'oserait affirmer que l'être humain est supérieur à Dieu. La personne qui a besoin d'aide est une personne faible qui cherche une personne plus forte. L'homme a besoin de la femme, il ne peut rien sans elle. Elle lui est donc supérieure.

On pourrait ajouter d'autres éléments en faveur des deux camps, mais ce qui ressort très bien des trois mentionnés plus haut c'est que, d'un côté comme de l'autre, les arguments semblent valables. On doit alors se demander comment il est possible que le même texte puisse conduire à des résultats si contradictoires. Est-ce que quelque chose dans le texte aurait échappé tant à la lecture patriarcale qu'à la lecture féministe?

Nous allons essayer de suivre le déroulement de ce texte mythique dans sa forme actuelle, tel qu'il se présente à nous, et écouter le texte se raconter comme si nous l'entendions pour la première fois[13].

---

13   W. Vogels, «L'être humain appartient au sol. Gn 2, 4b-3, 24», *Nouvelle revue théologique*, 105 (1983), p. 515-534, avec abondante bibliographie.

2. Les trois relations fondamentales de l'être humain

L'être humain et le sol (2, 4b-7)

Dès le début, notons la différence avec le texte précédent. Dans le récit sacerdotal de la création (P), le créateur est appelé «Dieu *(Élohim)*»; ici son nom est «Yahweh», indication claire que le texte appartient à la tradition yahwiste (J). Contrairement aux autres textes de cette tradition, le récit du paradis utilise un nom double, rarement employé ailleurs dans la Bible, «Yahweh Dieu *(Élohim)*»[14]. Le rédacteur qui a groupé le récit P et le récit J veut probablement dire au lecteur que Yahweh est le même Dieu que celui mentionné au récit précédent. Le nom double indique aussi l'identité entre «Yahweh», Dieu d'Israël et de l'histoire du salut, et «Élohim», Dieu créateur de l'univers et de toutes les nations. Notons une autre différence: P dit «ciel et terre» pour parler de l'univers (1, 1; 2, 1. 4a); J parle de «terre et ciel», il renverse la formule en indiquant que son intérêt va d'abord vers la terre; il s'adresse en effet à des agriculteurs.

Le récit commence de la même manière que beaucoup de récits de création extra-bibliques: «Au temps où... il n'y avait encore aucun...» (2, 4b-5) Le début du récit contient la description d'un état initial négatif, le manque qui va permettre au récit de démarrer: «Il n'y avait encore aucun arbuste des champs sur la terre et aucune herbe des champs n'avait encore poussé...» (2, 5) La terre est un désert sans végétation ni habitants, elle est improductive et sans vie (1, 2). La raison de ce manque est double: il n'y a pas de pluie, «car Yahweh Dieu n'avait pas fait pleuvoir sur la

---

14   J. L'Hour, «Yahweh Élohim», *Revue biblique*, 81 (1974), p. 524-556.

terre», ni d'agriculteur, «et il n'y avait pas *adam* pour cultiver le sol *(adamah)*» (2, 5).

Beaucoup de malentendus et toute la controverse entre
les lectures patriarcale et féministe provient de l'ambiguïté
du terme *adam*. Puisqu'on dit que la femme apparaît seulement à la fin du récit, dans l'histoire de la côte, on traduit
adam par «homme» (BJ et TOB). Le texte dirait alors que la
terre est déserte puisqu'il n'y avait pas encore d'homme,
dans le sens d'un mâle, pour la cultiver. En faisant ce raison-
nement, le lecteur «triche», il lit par en arrière. Au début
d'un texte, on ne sait pas encore ce qui va suivre. Le lecteur
qui lit le texte biblique d'une façon synchronique a déjà ren-
contré le même terme *adam* dans le récit précédent
(1, 26-27), terme rendu par tous les traducteurs par l'«humanité», l'«être humain» en général, sans aucune indication de
sexe. En toute logique, le lecteur doit comprendre le même
terme dans le même sens: la terre est déserte parce qu'il n'y
a pas encore d'«être humain». Les langues germaniques
peuvent rendre ces nuances de l'hébreu. Le mot *mens* (en
néerlandais) ou *Mensch* (en allemand) réfère à l'être humain
en général, qui est alors *man* ou *Mann* pour le mâle et *vrouw*
ou *Frau* pour la femme. En français et en anglais, *homme* et
man peuvent prêter à confusion. Le mot *homme* peut indiquer soit un être humain (qui peut être mâle ou femelle), soit
un mâle (à l'exclusion de la femme). Pour éviter toute confusion, nous utiliserons dans le livre le terme «être humain»;
«homme» sera utilisé dans son sens restreint. D'ailleurs, ce
ne sont pas seulement les hommes qui cultivent le sol mais
aussi les femmes et, dans certaines cultures, davantage
même que les hommes. Les deux raisons qui expliquent
l'état négatif du début sont donc le manque de pluie et
l'absence de quelqu'un pour cultiver le sol.

«Toutefois, un flot *(ed)* montait de terre et arrosait toute
la surface du sol *(adamah)*.» (v. 6) La signification exacte de
ed est discutée mais, puisque le verbe est «monter», il s'agit

probablement d'un flot des eaux souterraines qui remonte à la surface. Un premier manque est comblé; même s'il n'y a pas de pluie qui vient d'en haut, il y a ce flot des eaux d'en bas. Ce flot pourrait éventuellement être canalisé par le travail humain et la végétation deviendrait alors possible.

Le récit se poursuit logiquement alors avec la création de l'être humain: «Alors Yahweh Dieu modela l'être humain *(ha-adam)* avec de la glaise du sol *(adamah)*, il insuffla dans ses narines une haleine de vie et l'être humain *(ha-adam)* devint un être vivant.» (2, 7) Le texte utilise le même terme, *adam,* mais avec l'article *ha*, ce qui indique qu'il ne s'agit pas d'un nom propre. L'auteur ne parle pas de la création d'un homme nommé Adam, mais bien de l'humanité, de l'être humain en général. Nous poursuivrons donc la lecture du récit de cette façon et nous verrons bien ce que cela donne, quitte à corriger notre lecture par la suite, mais c'est la seule lecture logique dans une approche synchronique.

Pour savoir comment ma montre est fabriquée, je peux la défaire et je verrai alors toutes les pièces utilisées. L'auteur biblique applique ce principe pour trouver comment Dieu a «fabriqué» les humains. L'être humain tombe en morceaux au moment de la mort. On dit qu'une personne est morte quand elle cesse de respirer, on parle de son dernier souffle. Le cadavre qui reste devient poussière après quelque temps. Voilà donc les deux éléments que Dieu a utilisés pour faire un être vivant. Dieu le «modela» de la glaise comme le potier modèle des vases (Is 29, 16; Jr 18, 2. 3. 4), mais puisque les vases se ressemblent et que chaque être humain est unique, il vaut mieux penser à l'artiste qui modèle une statue. On note le jeu de mots entre *adam* et *adamah*, terme répété trois fois dans les premiers versets du récit (2, 5. 6. 7). Le texte continue à jouer sur le lien entre l'être humain et le sol; l'humain en vient, il y habite pour le cultiver (2, 5; 3, 23) et au moment de la mort il y retourne

(3, 19). Pour garder l'assonance en français, on traduit parfois la terre et le terreux, ou le humus et l'humain.

Mais l'être humain est plus qu'une partie du sol, car
Dieu le fait participer à sa respiration qui est le signe de la
vie. En recevant «l'haleine de vie», l'être humain devient
«un être vivant» et le reste du récit décrit ce dont le vivant a
besoin pour vivre. Certains auteurs font remarquer que les
images «tiré de la poussière» (qu'on retrouve dans un texte
biblique, 1 R 16, 2-3) et de participation à l'haleine divine
(comme dans plusieurs textes extra-bibliques) indiquent
l'intronisation d'un roi. L'auteur yahwiste soulignerait ainsi
le rôle royal de l'humanité dont avait aussi parlé l'auteur
sacerdotal dans le récit précédent[15]. Même si la description
de la création de l'être humain en Genèse 2 est très différente de celle du récit de la création, les deux textes parlent
fondamentalement d'éléments chez l'être humain qui le font
participer au divin (l'image de Dieu chez P; le souffle chez
J) et appartenir au terrestre (mâle et femelle chez P, la glaise
du sol chez J). Le langage populaire symbolique des auteurs
sacrés enseigne d'importantes vérités, même si on est loin de
la théorie évolutionniste qui peut être scientifiquement vraie.

Les deux raisons qui faisaient de la terre un désert ont
disparu; il y a ce flot qui monte et l'être humain qui peut
maintenant commencer à cultiver ce désert pour le transfor-
mer en champs. Un premier micro-récit touche à sa fin, qui
souligne fortement le lien entre l'être humain et la terre. Les
deux termes *adam*, répété deux fois (2, 5. 7), et *adamah*,
répété trois fois (2, 5. 6. 7), y dominent.

---

15   W. Brueggemann, «From Dust to Kingship», *Zeitschrift für die alttesta-*
      mentliche Wissenschaft, 84 (1972), p. 1-18; W. Wifall, «The Breath of His
      Nostrils: Gen 2, 7b», *Catholic Biblical Quarterly*, 36 (1974), p. 237-240.

L'être humain et Dieu (2, 8-17)

Le lecteur s'attendrait maintenant à lire comment l'être humain s'y prend pour cultiver le sol, car c'est pour cela qu'il a été créé, mais le récit prend une tournure inattendue. Ce n'est pas l'être humain mais Dieu qui devient agriculteur. «Yahweh Dieu planta un jardin... fit pousser du sol *(adamah)* toute espèce d'arbres.» (2, 8-9)

Le texte donne plusieurs détails sur ce jardin d'Éden que Dieu plante et où il amène l'être humain qu'il vient de modeler (2, 8). Le mot hébreu *gan* désigne un jardin clôturé, un parc. La traduction grecque de la Septante l'a traduit par *paradeisos*, d'où la coutume de parler du paradis terrestre. Le texte situe ce parc «en Éden»[16], expression qui semble représenter une région (aussi 2, 10, cf. 2 R 19, 12; Éz 27, 23; moins clair en 2, 15 où Éden détermine simplement le mot jardin; la tradition en a fait un jardin divin, Éz 28, 13). Si Éden est un nom géographique, il faut admettre qu'on ne parvient pas à le localiser; mieux vaut alors chercher dans une autre direction. En accadien, le mot *edinu* signifie «steppe», le parc serait ainsi une oasis dans la plaine. Dans les langues sémitiques de l'Ouest, dont fait partie l'hébreu, *'dn* signifie «plaisir», «luxe» (2 S 1, 24; Ps 36, 9); le texte parlerait alors d'un parc de plaisir, d'un «Disneyland». L'auteur ajoute que ce parc se situe «à l'orient» ce qui, pour le lecteur israélite, est la région des grandes cultures de la Mésopotamie; à moins que cette indication veuille simplement placer le récit dans une région lointaine, comme ces contes et ces fables qui se déroulent «très loin d'ici».

La péricope des quatre fleuves procure d'autres détails qui aideraient peut-être à localiser le jardin (2, 10-14). Un grand fleuve se divise en quatre bras, dont le texte fournit les noms et parfois la région où ils coulent. Les deux derniers,

---

16   A. R. Millard, «The Etymology of Eden», *Vetus Testamentum*, 34 (1984), p. 103-106.

le Tigre, qui en effet «coule à l'orient d'Assur», et
l'Euphrate, sont bien connus (2, 14). Les deux premiers
posent plus de problèmes aux chercheurs. Le Pishôn, fleuve
inconnu, «contourne le pays de Havila» (2, 11), ce qui
signifie normalement l'Arabie; mais il n'y a aucun fleuve
dans cette région, à moins qu'il ne faille penser à la mer qui
«contourne l'Arabie». Le Gihôn, autre fleuve inconnu, «contourne tout le pays de Kush» (2, 13), ce qui signifie normalement l'Éthiopie. Or le seul fleuve qui coule dans ce pays
est le Nil; mais pourquoi l'avoir appelé Gihôn? De plus, il
est très éloigné du Tigre et de l'Euphrate. Devant cette confusion, certains auteurs proposent d'autres identifications
pour ces fleuves (par exemple Gange et Indus) et les pays
concernés. D'autres préfèrent traduire les mots: «pishôn»
signifie «le bondissant» et «gihôn», «le jaillissant». Avec ces
indications géographiques incomplètes et problématiques,
on propose de localiser le jardin dans l'une de ces deux
régions: la Mésopotamie du nord (l'Arménie), où se trouvent les sources du Tigre et de l'Euphrate, ou la
Mésopotamie du sud, où le golfe persique serait le grand
fleuve qui se divise en quatre bras dont l'Euphrate et le
Tigre.

Malgré tous les détails du texte, on ne parvient pas à
localiser précisement le paradis. Même les lecteurs à l'époque de l'auteur ont dû éprouver ce problème. Les détails que
l'auteur fournit sur le Pishôn et le Gihôn prouvent qu'ils
n'étaient pas familiers à son auditoire, qui n'avait pas besoin
d'information sur le Tigre et l'Euphrate, deux fleuves bien
connus. Il n'est pas nécessaire de donner de longues explications aux Canadiens si on leur parle du fleuve Saint-Laurent,
mais ils auront besoin de plus de détails s'il s'agit de
l'Escaut. Tout ceci suggère qu'on n'est pas sur la bonne piste
si on veut donner au texte une interprétation géographique.

De la même manière que le texte parle d'un paradis terrestre, nous aussi parlons d'un paradis céleste qui, selon la

théologie scholastique, consiste dans «la vision béatifique», voir Dieu. Peu de gens sont pressés de jouir de ce bonheur... «Tout le monde veut aller au ciel, mais personne ne veut mourir!» En Belgique, avant la catéchèse de Vatican II, nos mamans nous décrivaient le ciel de cette façon: «Au ciel (donc un endroit, évidemment en haut; comment pourrait-on concevoir comme enfant ne pas être quelque part?), vous allez manger du "rijstpap" (du pouding au riz, un dessert spécial; nos mamans ne disaient pas que nous allions manger des patates, nous en mangions tous les jours) avec du sucre brun (et non pas le sucre blanc ordinaire) avec des cuillères d'or.» Quand j'ai appris en théologie que le «ciel» est la vision béatifique et non pas un pouding au riz, je n'ai pas pour autant accusé ma mère de m'avoir trompé. Nos mamans nous enseignaient de façon symbolique, dans un langage compréhensible par l'enfant, que nous sommes destinés au bonheur. Un tel langage symbolique est évidemment conditionné par la culture; les Asiatiques qui mangent du riz matin, midi et soir ne seraient certainement pas enthousiastes d'apprendre que ce qu'ils devront manger au ciel, c'est encore du riz!

La description du paradis terrestre utilise également plusieurs symboles, images capables d'enthousiasmer les agriculteurs d'Israël où le sol est souvent aride. Au paradis, il y a de l'eau en abondance. Le chiffre quatre symbolise souvent l'univers entier (nord-est-sud-ouest), façon de dire que l'eau de toute la terre était dans ce paradis; le Tigre et l'Euphrate, les deux plus grands fleuves connus, et même un «bondissant» et un «jaillissant»! Il y a aussi de l'or pur (ma mère avait raison de parler de cuillères d'or!), des pierres précieuses et une végétation merveilleuse. L'auteur utilise l'image du jardin d'Éden, paradis terrestre et non céleste, pour dire que l'être humain est fait pour le bonheur ici-bas.

Dans le jardin, Dieu fait pousser «toute espèce d'arbres séduisants à voir et bons à manger» (2, 9). Le récit reviendra sur ces deux détails du voir et du manger (3, 6). L'être humain a le droit de jouir du beau et du bon, le plaisir fait partie de la vie humaine. Ces arbres merveilleux confirment le caractère symbolique du jardin. Deux arbres mystérieux sont mentionnés: «l'arbre de vie» et «l'arbre de la connaissance du bien et du mal» (2, 9). Si on croit que le jardin est un lieu géographique, ces deux arbres sont de vrais arbres à chercher dans un jardin botanique. Si on accepte le sens symbolique du jardin, alors les deux arbres sont également des symboles, évidemment conditionnés par la culture de l'auteur.

«L'arbre de vie» est une image bien connue en Orient. L'épopée de Gilgamesh raconte comment le héros a appris l'existence d'une plante qui pourrait lui procurer la vie. Il la trouve, mais elle lui est volée par un serpent qui, en la mangeant, change de peau, ce qui indique que le serpent renouvelle sa vie. L'arbre de vie est clairement le symbole d'une vie en plénitude. Si le paradis symbolise le bonheur humain, l'un des aspects du bonheur parmi les plus importants pour l'être humain est de vivre pleinement.

«L'arbre de la connaissance du bien et du mal» (la TOB traduit «connaissance du bonheur et du malheur» pour éviter une interprétation trop intellectuelle et moralisante) pose plus de problèmes, puisque l'image n'apparaît pas dans d'autres textes. Le seul dont nous disposons pour en saisir la signification est celui du paradis. Si le premier arbre donne la vie, on pourrait conclure que le deuxième donne «la connaissance du bien et du mal» à l'être humain. Mais cette connaissance lui est défendue (2, 17; 3, 3) et son acquisition le rend égal aux dieux (3, 5). On a parfois identifié la connaissance du bien et du mal au premier discernement, à l'éveil de la raison. Cette solution suppose que Dieu voulait garder l'humanité dans un état d'enfance et que, pour devenir adulte, il faut transgresser l'ordre divin. D'autres croient que cette connaissance représente l'autonomie morale, la personne humaine décidant pour elle-même ce qui est bien et mal. Mais cette solution ne respecte pas le texte non plus, car en décidant de manger de cet arbre la personne exerce déjà une autonomie morale, qui ne peut donc pas être ce que cet arbre pourra lui donner. L'arbre symbolise plutôt le pouvoir absolu. L'hébreu indique souvent la totalité par les deux extrêmes («ciel et terre» signifie l'univers, 1, 1). Les deux termes «bien et mal» ne réfèrent pas aux deux contraires pris séparément, mais doivent être pris ensemble et signifient «tout» (comparez 2 S 14, 17 avec 14, 20). Le mot «connaissance» dit plus qu'une connaissance théorique, elle implique un pouvoir. Savoir, c'est pouvoir: quelqu'un qui «sait» conduire une voiture «peut» le faire. Le deuxième arbre symbolise un autre désir humain profond d'être capable de savoir et de pouvoir toujours plus avec l'espoir d'être un jour capable de tout.

Après cette longue digression, l'auteur reprend ce qu'il avait déjà dit (2, 8), que Dieu met l'être humain dans le jardin, en y ajoutant sa mission, «pour le cultiver *(abad)* et le garder» (2, 15). L'être humain est appelé à cultiver le jardin et à en prendre soin pour qu'il reste un paradis[17]. Ce passage rappelle l'enseignement du récit de la création: l'être humain doit soumettre la terre non en vue de son propre intérêt mais pour y maintenir l'ordre que le Créateur y a mis (1, 26. 28). Le verbe *abad* peut également se traduire par «servir»; il est souvent utilisé pour le service de Dieu et le verbe «garder», pour l'observation de la loi. Le respect du plan de Dieu assurera à l'être humain de garder le bonheur que le jardin symbolise. Dieu donne ensuite à l'être humain toutes les jouissances, «Tu peux manger de tous les arbres du jardin» (2, 16), avec une seule exception: «Mais de l'arbre de la connaissance du bien et du mal tu ne mangeras pas car, le

---

17   W. Vogels, «De mens, schepsel en beheerder (Gen 1, 26-28)», *Collationes*, 19 (1989), p. 263-291; pour Gn 2, 15, voir p. 285-286.

jour où tu en mangeras, tu mourras certainement.» (2, 17) Si
l'être humain avait pouvoir sur tout, il deviendrait Dieu, ce
serait la mort de l'humanité, elle cesserait d'exister. Le texte
introduit la tension entre vie et mort, ces réalités qui sont au
centre de l'existence humaine, comme les deux arbres qui
peuvent donner vie ou mort sont placés «au milieu du jardin» (2, 9). Le choix entre la vie et la mort appartient à l'être
humain. Dieu lui donne ce que les animaux n'ont pas, la
liberté. L'être humain peut dire non à Dieu mais par le fait
même il dit non à la vie.

Le deuxième micro-texte (2, 8-17) parle donc du bonheur voulu par Dieu pour l'être humain. Il n'y a qu'une
seule limite: l'être humain ne peut pas devenir divin. Le passage décrit également le rapport d'altérité entre les deux:
Dieu reste Dieu et l'être humain reste humain. Tout ce que le
texte dit jusqu'à maintenant s'applique à l'être humain, qu'il
soit homme ou femme.

L'être humain et les animaux – l'homme et la femme (2, 18-24)

Les lecteurs s'attendent maintenant à lire ce que l'être
humain va faire, comment il va cultiver le jardin, s'il va
manger ou non de cet arbre défendu. Mais le texte s'oriente
dans une tout autre direction. Un nouveau manque apparaît,
indiquant le début d'un nouveau micro-texte. «Yahweh Dieu
dit: "Il n'est pas bon que l'être humain soit seul. Il faut que
je lui fasse une aide qui lui soit assortie".» (2, 18)[18]
Contrairement au récit de la création où Dieu évaluait tout

---

18 W. Vogels, «"It Is not Good that the 'Mensch' Should Be Alone; I Will
    Make Him/Her a Helper Fit for Him/Her" (Gen 2:18)», *Église et
    théologie*, 9 (1978), p. 9-35, partie III. Mensch: Man and Woman,
    p. 25-35; M. de Mérode, «"Une aide qui lui corresponde": L'exégèse de
    Gen. 2, 18-24 dans les écrits de l'Ancien Testament, du judaïsme et du
    Nouveau Testament», *Revue théologique de Louvain*, 8 (1977),
    p. 329-352.

ce qu'il avait créé comme «bon», en ordre[19], le Dieu qui est à l'œuvre ici accepte que ce qu'il a fait au début ne soit pas parfait. Il est un Dieu proche de l'être humain, qui se préoccupe de lui. Dieu prend une décision spéciale: «Il faut que je lui fasse», ce qui rappelle le «faisons» (1, 26). Pour un être humain, homme ou femme, il n'est pas bon d'être seul, il a besoin d'«une aide *(ezer)* qui lui soit assortie *(kenegdo)*»[20]. Le terme *ezer* est presque toujours attribué à Dieu (Ps 33, 20; 121, 1), ce qui indique qu'il s'agit d'un secours personnel et non pas matériel, et il est toujours utilisé dans le contexte d'un secours indispensable, dans des situations d'extrême danger. Ce que Dieu fait normalement, ici l'homme le fait pour la femme et la femme pour l'homme; chacun est un secours indispensable pour l'autre dans le combat pour l'existence. Le danger dont il est question est la solitude, qui est non-vie et stérilité, mais lorsque les deux se retrouvent ensemble leur partage devient vie et fécondité. Cette aide mutuelle est *kenegdo*, son vis-à-vis, ajustée, assortie, impliquant la similitude et la complémentarité entre l'homme et la femme.

Pour combler le manque, Dieu passe à l'action. Il «modela encore du sol toutes les bêtes sauvages» (2, 19), comme il avait modelé l'être humain (2, 7). Il y a donc une grande ressemblance entre les humains et les animaux. Mais le texte poursuit: «Il les amena à l'être humain pour voir comment celui-ci les appellerait... L'être humain donna des noms.» (2, 19-20) L'être humain est invité à faire ce que Dieu lui-même avait fait pour certaines de ses œuvres dans le récit de la création (1, 5. 8. 10). En leur donnant un nom, l'être humain discerne la nature de chaque animal et, en le faisant, il crée des mots; ainsi est présentée l'origine de la

---

19   Voir plus haut, p. 55-56.

20   J.L. Ska, «"Je vais lui faire un allié qui soit son homologue" (Gn 2, 18). À propos du terme *'ezer* - "aide"», *Biblica*, 65 (1984), p. 233-238.

langue. L'être humain est donc clairement supérieur aux animaux. C'est de cette façon que le texte décrit les relations entre humains et animaux. Devant un animal on se reconnaît comme humain, mais pas comme homme ou femme; c'est pourquoi l'être humain «ne trouva pas l'aide qui lui fût assortie» (2, 20).

Dieu accepte l'évaluation négative de l'être humain et il tente un deuxième essai. Le récit souligne par une série de cinq verbes la précision de l'action divine qui aboutit à la division de l'être humain en deux nouveaux êtres. L'auteur utilise l'image de la «côte», peut-être à cause de sa forme courbée qui fait penser à la lune, dont on connaît l'importance pour la fertilité. Peut-être s'inspire-t-il du mot sumérien «Ti», qui signifie en même temps côte et vie, indiquant ainsi que l'homme et la femme participent à la même vie. En français, on pourrait jouer sur «côte» et «côté»[21].

Cette fois-ci, l'être humain manifeste son approbation par une exclamation admirative, poétique même (2, 23; la création de l'humanité était aussi exprimée poétiquement dans le récit de la création, 1, 27). Le texte souligne la réussite par le triple emploi du démonstratif *zot:* «Cette fois... celle-ci... celle-ci». L'expression «l'os de mes os et la chair de ma chair» réfère souvent à l'appartenance à la même famille, au lien de consanguinité (Gn 29, 14; Jg 9, 2; 2 S 19, 13-14); homme et femme sont en étroite connaturalité. Mais la formule est aussi utilisée dans un contexte d'alliance (2 S 5, 1); le lien entre l'homme et la femme se vit dans la fragilité de la chair mais aussi dans la force des os[22]. Le poème poursuit: «Celle-ci sera appelée "femme", car elle fut tirée de l'homme, celle-ci!» Pour la première fois apparaissent dans le récit les termes homme *(ish)* et femme

---

21   Ne dit-on pas parfois, en parlant de son épouse: «Ma douce moitié»?

22   W. Brueggemann, «Of the Same Flesh and Bone (Gn 2, 23a)», *Catholic Biblical Quarterly*, 32 (1970), p. 532-542.

(*ishah*, aussi v. 22)[23]. En présence d'un animal, un être humain se reconnaît comme humain; en présence d'un autre être humain, il se découvre «homme» ou «femme». On ne peut parler de femme qu'en présence d'un homme et vice versa. L'homme ne donne pas le nom à la femme, car aucun être humain n'est supérieur à un autre: «Celle-ci sera appelée...»[24] Tant les hommes que les femmes découvrent, reconnaissent et par conséquent s'appellent l'un l'autre «homme» ou «femme». Au moment de la création des animaux, on a assisté à l'apparition de la langue; dans ce poème on entend la première parole humaine, car l'être humain ne peut parler qu'avec un partenaire[25].

Et l'auteur de conclure: «C'est pourquoi l'homme *(ish)* laisse son père et sa mère et s'attache à sa femme *(ishah)*, et ils deviennent une seule chair.» (2, 24) «C'est pourquoi...» introduit souvent dans la Bible un récit étiologique, un récit qui veut expliquer quelque chose que l'on voit, un événement ou un nom. Depuis toujours, les gens se posent des questions sur l'attrait sexuel (Pr 30, 18-19). Comment comprendre que quelqu'un quitte la sécurité du foyer et l'amour de ses parents pour s'attacher à une personne étrangère? Beaucoup de mythes, de même Platon dans le *Symposium*[26], suggèrent que ces deux êtres veulent se retrouver parce

---

23 On peut garder un jeu de mot semblable en français: époux - épouse; en anglais, w-o-man = wife of man.

24 G.W. Ramsey, «Is Name-Giving an Act of Domination in Genesis 2:23 and Elsewhere?», *Catholic Biblical Quarterly*, 50 (1988), p. 24-35.

25 P. Beauchamp, «La création des vivants et de la femme. Lecture allégorique de Gn 2, 15-24», *La vie de la parole: De l'Ancien au Nouveau Testament*, Études d'exégèse et d'herméneutique bibliques offertes à Pierre Grelot, Paris, Desclée, 1987, p. 107-120.

26 I. Edman, éd., «The Symposium», *The Works of Plato*, New York, Modern Library, 1928, p. 353-355; C.E. L'Heureux, *In and Out of Paradise: The Book of Genesis from Adam and Eve to the Tower of Babel*, New York, Paulist Press, 1983, p. 16-17.

qu'au début ils étaient un. À l'origine, les dieux auraient créé des androgynes, qu'ils auraient ensuite divisés en homme et femme. Aux Philippines, on raconte qu'un bambou poussa qui se divisa ensuite en deux, homme et femme. Le récit biblique parle de la création de *adam*, l'être humain, qui est ensuite divisé en homme *(ish)* et femme *(ishah)*, en utilisant l'image de la côte.

La personne humaine «laisse», se détache de ses parents pour «s'attacher», se donner totalement à l'autre, à l'aide assortie. Le texte ne parle pas du matriarcat, qui n'existe pas dans les coutumes bibliques, mais du passage à l'âge adulte. Le lien filial est remplacé par le lien conjugal, dans lequel les deux «deviennent une seule chair». Le texte présente l'unité entre l'homme et la femme dans toutes ses dimensions, émotionnelle, corporelle et spirituelle[27]. Dans les traductions grecque et syriaque comme dans le Targum, le texte se lit «les deux deviennent une seule chair», ce qui suggère le mariage monogame (Mt 19, 5-6. 8).

Le début du micro-texte dit qu'il n'est pas bon pour un être humain d'être seul (2, 18); la fin du récit, après ce long détour de la création des animaux, conclut que les deux deviennent une seule chair, ils sont redevenus un (2, 24). On pourrait alors se demander quelle est la transformation effectuée dans ce récit. À la différence du début du récit, où «être seul» est synonyme de solitude, à la fin, «être seul» est relation. L'humanité est complète seulement lorsqu'elle forme communauté. Il est significatif que le récit décrive la créa-

---

27   M. Gilbert, «"Une seule chair" (Gn 2, 24)», *Nouvelle revue théologique*, 100 (1978), p. 66-89; S. Hre Kio, «The Problem of Cultural Adjustment: Understanding and Translating Genesis 2, 24», *The Bible Translator*, 42 (1991), p. 210-217; R.B. Lawton, «Genesis 2:24: Trite or Tragic?», *Journal of Biblical Literature*, 105 (1986), p. 97-98, interprète la phrase comme indiquant l'idéal, le plan de Dieu; A. Tosato, «On Genesis 2:24», *Catholic Biblical Quarterly*, 52 (1990), p. 389-409.

tion de l'être humain en un seul verset (2, 7), mais présente longuement la relation homme – femme.

La discussion entre la lecture patriarcale ou féministe du texte pour déterminer qui est supérieur dans l'égalité n'est pas nécessaire. Le texte parle au début de l'être humain, puis, uniquement à la fin, de l'homme et de la femme. Le texte ne considère aucun des deux supérieur. On peut même dire que l'égalité ne le préoccupe pas car parler de supériorité et même d'égalité est dans la ligne des droits et des devoirs. Le texte parle d'une relation entre les deux êtres, de leur complémentarité et donc de leur amour mutuel.

L'ensemble de Genèse 2, 4b-24 se divise ainsi en trois micro-textes, chacun décrivant une des relations fondamentales de l'être humain. Le respect de ces relations assure l'harmonie dans notre existence.

Deuxième partie

... vers la fin
de l'harmonie...

Chapitre IV

La rupture de l'harmonie (Genèse 2, 25-3, 24)

Le récit de la préhistoire de l'humanité se poursuit en rapportant ce que les êtres humains ont fait de l'harmonie créée par Dieu. Le récit du paradis (2, 4b-3, 24) forme une unité littéraire mais, à cause de sa longueur, nous en divisons l'étude en deux chapitres. Le récit est composé de deux tableaux: le premier, étudié au chapitre précédent (2, 4b-24), décrit l'harmonie dans l'existence humaine; le deuxième (2, 25-3, 24) présente en antithèse la rupture de cette harmonie[1].

1. La rupture des trois relations fondamentales de l'être humain

L'animal vs l'être humain – l'homme vs la femme[2] *(2, 25-3, 7)*

La division en chapitres et en versets introduite au Moyen Âge n'est pas toujours adéquate, comme l'a démon-

---

1   W. Vogels, «L'être humain appartient au sol. Gn 2, 4b-3, 24», *Nouvelle revue théologique*, 105 (1983), p. 515-534; pour Genèse 3, p. 527-534.

2   Le sigle «vs» (*versus*) désigne une relation d'opposition.

tré la division introduite entre le récit de la création
(1, 1-2, 4a) et celui du paradis (2, 4b-3, 24). La coupure
entre Genèse 2 et Genèse 3 en est un autre exemple. Nous
avons montré comment 2, 24 est la conclusion du troisième
micro-texte; 2, 25 n'appartient donc pas à ce qui précède,
mais à ce qui suit[3]. «Or tous deux étaient nus *(arummim)*,
l'homme et sa femme.» (2, 25a) Au point de vue structural,
sans implications morales, «nu» s'oppose à «être habillé».
Un nouveau manque apparaît ainsi dans le récit: l'homme et
sa femme sont nus, ils ne portent pas de vêtements; nous
sommes donc au début d'un nouveau micro-texte.

Puisqu'on lie souvent 2, 25 à 2, 24, où il est question de
l'homme et de sa femme qui «deviennent une seule chair»,
on interprète fréquemment les deux versets comme se rapportant à la sexualité et à la pudeur. Nous avons déjà vu que
l'union en une seule chair ne se limite pas à l'aspect sexuel,
mais englobe l'union entre homme et femme dans toutes ses
dimensions. Dans la Bible, le substantif «nudité» a une connotation sexuelle dans un nombre de cas très explicites et
limités, où ce sens ressort clairement de la phrase
(Lv 18, 6. 7). Plus fréquemment, la nudité signifie pauvreté,
faiblesse, humiliation ou perte de dignité (Os 2, 11; Is 20, 4)
et l'adjectif «nu» a toujours cette signification[4]; c'est bien
dans cette optique que le récit du paradis en parle. Jusqu'ici,
le récit a montré la grandeur de l'être humain mais aussi ses
limites. Le texte souligne que Dieu est Dieu et que l'être
humain doit rester humain (deuxième micro-texte, 2, 8-17).
Le fait de se réaliser comme homme ou femme indique une
autre limite: on n'est que la moitié de l'être humain, on est
incomplet sans l'autre (troisième micro-texte, 2, 18-24).

---

3   Ainsi dans la TOB; la BJ par contre lie le verset 25 à ce qui précède.

4   W. Vogels, «Cham découvre les limites de son père Noé (Gn 9, 20-27)»,
      Nouvelle revue théologique, 109 (1987), p. 554-573, «Les notions de
      "nudité" et de "nu"», p. 562-565, avec bibliographie.

L'homme et la femme sont là dans leur nudité, avec toutes leurs limites mais, le texte continue, «ils n'avaient pas honte l'un devant l'autre» (2, 25b). On pourrait traduire aussi: «Ils n'avaient pas honte d'eux-mêmes» ou «Ils ne se sentaient pas humiliés.» La honte est le sentiment troublant qu'on expérimente quand l'harmonie intérieure est dérangée. Ce n'est pas le cas pour l'homme et la femme: ils s'acceptent eux-mêmes tels qu'ils sont et chacun accepte l'autre comme il ou elle est, avec ses richesses et ses limites. Le manque qu'on relève dans le récit au point de vue structural n'est pas une carence psychologique.

Pour que le récit puisse avancer il faudra un acteur, qui fera que l'homme et la femme ressentent leurs limites, leur nudité, comme un manque psychologique. L'auteur ne peut pas concevoir que Dieu joue ce rôle; il n'admet pas non plus que l'homme et la femme soient mauvais en eux-mêmes. Même si la tentation se joue dans le cœur des humains, le mal a son origine en dehors d'eux. Ce nouvel acteur doit donc être une des créatures et, parmi elles, le candidat par excellence est le serpent. «Le serpent était le plus rusé *(arum)* de tous les animaux des champs que Yahweh Dieu avait faits.» (3, 1) Un lien est noué avec la section précédente. Le serpent est un des animaux que Dieu vient de modeler (2, 19), mais il est le plus rusé de tous. Cet animal va s'en prendre à l'être humain qui lui avait donné son nom (2, 20). L'être humain avait démontré sa supériorité par rapport aux animaux, mais il n'avait pas trouvé en eux un partenaire assorti. Le serpent, inférieur à l'être humain, va rappeler à ce dernier ses propres limites et lui montrer qu'au-dessus de l'humain aussi il y a un être supérieur. Le texte fait un jeu de mots sur le fait que l'être humain est limité, nu *(arummim,* pluriel) et que le serpent est rusé *(arum).*

L'auteur a choisi le serpent à cause de sa signification symbolique[5]. Le serpent, contrairement aux autres animaux, n'a pas de pattes. Il apparaît sans qu'on s'en rende compte; c'est un animal mystérieux que plusieurs cultures mettent en rapport avec la sagesse. Le récit du paradis le caractérise comme «le plus *arum*», un mot de signification ambiguë qui peut avoir une connotation positive de sagesse ou de prudence ou une connotation négative de ruse (cf. Mt 10, 16, «prudents comme des serpent» [BJ] ou «rusés comme des serpents» [TOB]). Mais, dans beaucoup de cultures, le serpent est aussi lié au mystère de la vie et de la mort, le mystère dont parlent déjà les deux arbres, un qui peut donner la vie et l'autre qui peut procurer la mort. Le serpent change régulièrement de peau, ce qui suggère un renouvellement ou un rajeunissement constant (pensons à nos déridages!). Par ailleurs, les gens en général ont peur du serpent parce que son venin est mortel. Dans l'épopée de Gilgamesh, le serpent vole la plante de la vie et change de peau. Les voisins d'Israël adoraient le serpent pour obtenir fertilité et fécondité, culte dont on retrouve des traces en Israël (Nb 21, 4-9; 2 R 18, 1-5; Sg 16, 5-14). Même notre société a conservé l'image du serpent comme symbole de la médecine. Le double symbolisme donné au serpent dans plusieurs cultures se retrouve dans le récit du paradis. Le serpent promet connaissance (3, 5) et vie (3, 4), mais malheureusement il donnera une pauvre connaissance (3, 7) et la mort (3, 22). L'identification du serpent avec Satan ne viendra que beaucoup plus tard dans la tradition biblique (Sg 2, 24; Ap 12, 9; 20, 2)[6].

---

5   K.R. Joines, *Serpent Symbolism in the Old Testament: A Linguistic, Archaeological, and Literary Study*, Haddonfield (N.J.), Haddonfield House, 1974; id., «The Serpent in Gen 3», *Zeitschrift für die alttestamentliche Wissenschaft*, 87 (1975), p. 1-11.

6   W. Vogels, «De satan – God en Job (Job 1-2)», *Jota*, 9 (1991), p. 3-17; sur le sens de «satan», p. 4-6.

Le texte débute par la *tentation* (3, 1-5), lorsque le serpent veut renverser l'ordre établi. La description, comme d'ailleurs l'ensemble du récit, témoigne de la profonde perception psychologique de l'auteur. Le texte a mentionné l'apparition de la langue quand l'être humain attribue des noms aux animaux (2, 20) et l'apparition de la première parole quand l'homme trouve dans la femme son partenaire (2, 23). Ici apparaît la première conversation: «Il dit à la femme...» La raison pour laquelle le serpent adresse la parole d'abord à la femme constitue un autre point litigieux de la controverse entre les lectures patriarcale et féministe[7]. On a dit souvent que le serpent commence par la femme parce qu'elle est plus faible ou plus curieuse; il espérait ainsi avoir plus de chance de réussir. De cette vision provient la longue tradition d'Ève la tentatrice de l'homme presque innocent (Si 25, 24; 1 Tm 2, 14). Cet argument est renversé par la lecture féministe qui prétend que le serpent sait que si la femme mange du fruit de l'arbre de la connaissance du bien et du mal, l'homme fera automatiquement de même. La femme ressort du texte comme la seule qui pense et raisonne; l'homme ne fait que manger, il ne pense qu'à son ventre. La vraie raison est beaucoup plus simple: puisque le serpent est symbole de vie, de fécondité, il est dans la logique du texte qu'il commence par la femme puisqu'elle donne la vie. «Alors, Dieu (Élohim) a dit: Vous ne mangerez pas de tous les arbres du jardin?» (3, 1) Le serpent ne dit pas «Yahweh Dieu (Élohim)» mais seulement Élohim, nom qui peut signifier Dieu ou les êtres divins; cela lui permettra d'introduire de l'ambiguïté dans le récit (3, 5), ce qui est caractéristique d'une tentation. Cette première conversation porte *sur* Dieu; on parle de lui et non pas à lui. Le «vous» est un pluriel, indiquant bien que l'ordre divin était clairement donné à

---

7   W. Vogels, «"It Is not Good that the "Mensch" Should Be Alone; I Will Make Him/Her a Helper Fit for Him/Her" (Gen 2:18)», *Église et théologie*, 9 (1978), p. 9-35; sur ce point, voir p. 21-22.

l'être humain, homme et femme. À première vue, le serpent
semble dire exactement le contraire de ce que Dieu avait dit:
«Tu peux manger de tous les arbres du jardin.» (2, 16)
Pourtant, le serpent dit vrai. Dieu avait défendu de manger
de l'arbre de la connaissance du bien et du mal (2, 17). Si un
arbre est exclu, cela signifie donc que l'être humain ne peut
pas manger de tous. Une autre ambiguïté est ainsi introduite
dans le récit. Une chose qu'on ne peut pas avoir, mais qu'on
désire, en vient à occuper toute la place.

La femme réplique qu'ils ont le droit de manger du fruit
des arbres, mais avec une exception: «Mais du fruit de
l'arbre qui est au milieu du jardin, Dieu a dit: Vous n'en
mangerez pas...» La femme cite correctement ce que Dieu
leur avait dit (2, 17) mais elle poursuit: «Vous n'y toucherez
pas, afin de ne pas mourir.» (3, 2-3) Dieu n'avait pas parlé
du toucher, c'est la femme qui ajoute une autre interdiction.
Il se peut qu'elle agisse ainsi par peur ou par scrupule, ce
qui pousse certaines personnes à multiplier les défenses, ou
bien qu'elle agisse par prudence pour éviter de tomber dans
une morale qui se demande jusqu'où on peut aller avant que
cela ne devienne grave.

Le serpent n'invite pas directement à manger, mais il
sème le doute: «Pas du tout! Vous ne mourrez pas!» (3, 4)
L'arbre ne donnera pas la mort que l'être humain veut éviter
à tout prix; après tout, le serpent, qui possède le mystère de
la vie et de la mort, doit certainement le savoir. «Mais Dieu
sait que, le jour où vous en mangerez, vos yeux s'ouvriront
et vous serez comme *élohim* (comme des dieux ou comme
Dieu), qui connaissent le bien et le mal.» (3, 5) Dieu est
jaloux de sa divinité, il veut garder l'être humain distinct de
lui, inférieur à lui. Le but du serpent est de les amener à
ouvrir enfin les yeux. Le fruit de cet arbre, en donnant un
savoir/pouvoir sur tout, est capable de supprimer la distinction entre l'humain et le divin. Ce que Dieu «sait», l'homme
et la femme en auront aussi la «connaissance». La femme

est placée entre deux invitations: celle faite par Dieu, de ne pas manger pour éviter la mort, et celle du serpent, d'en manger pour supprimer ses limites et cela sans danger de mort. Elle est tiraillée entre le non-pouvoir manger et le vouloir manger.

Après la tentation, le texte passe à la description du *péché* (3, 6). La création de la femme comme partenaire de l'homme avait été rapportée brièvement par une série de cinq verbes (2, 21-22). La décision humaine d'opter pour l'invitation du serpent contre celle de Dieu est également racontée de façon succinte par une série de cinq verbes, quatre se rapportant à l'action de la femme et un seul à celle de l'homme. La longueur de la description de la tentation contraste ainsi avec la brièveté de celle de l'action, mais celle-ci décrit bien les différentes étapes psychologiques. «La femme vit»: l'action débute par les sens, pour devenir ensuite un désir à l'intérieur du cœur humain, lorsque la femme réalise «que l'arbre était bon à manger et séduisant à voir». Comme tous les arbres du jardin (2, 9), cet arbre aussi peut procurer la jouissance du bon et du beau, mais il est le seul à pouvoir offrir plus, il est «désirable pour devenir sage»; le cognitif s'ajoute au sensuel et à l'esthétique. Le fruit de l'arbre peut donner cette connaissance totale tant désirée. Le plaisir sensuel n'a rien de répréhensible, c'est le désir de briser les limites inhérentes à chaque personne, avec l'illusion de trouver enfin tout, qui est condamné.

De l'intérieur du cœur, la femme passe ensuite à l'action extérieure, «elle prit de son fruit». En touchant le fruit, elle passe par-dessus la précaution supplémentaire qu'elle s'était imposée et finalement elle «mangea», passant par-dessus l'ordre divin. «Elle en donna à son mari *(ish)*, qui était avec elle, et il mangea.» Le choix des termes est de nouveau très précis. Le texte désigne l'«homme» *(ish)*, dans son rapport à la femme, et souligne qu'il «était avec elle». Le serpent, symbole de la fertilité, avait commencé en toute logique par la femme, qui donne la vie. Mais l'homme aussi désire la fécondité de sa femme, il en dépend pour avoir une descendance. Dans certaines cultures du Proche-Orient ancien, les femmes allaient voir la déesse serpent pour obtenir des enfants avec l'accord, parfois même à l'instigation, de l'homme. Cette pratique est clairement illustrée dans un texte du prophète Jérémie, où les femmes répondent au prophète: «D'ailleurs, quand nous offrons de l'encens à la Reine du Ciel (serpent) et lui versons des libations, est-ce à l'insu de nos maris que nous lui faisons des gâteaux qui la représentent et lui versons des libations?» (Jr 44, 19; cf. 44, 15) L'homme, qui a quitté ses parents pour s'attacher à sa femme (2, 24), est maintenant uni à elle par cet abus de leur liberté. Le support mutuel entre homme et femme devrait les faire se compléter et s'enrichir; ici, au contraire, il les appauvrit et les diminue. Le texte ne présente donc nullement la femme comme la tentatrice et la cause de tous les malheurs[8]. L'action est faite d'un commun accord; c'est l'action de l'être humain, homme et femme.

Apparemment, le serpent a dit vrai: «Alors leurs yeux à tous deux s'ouvrirent.» Tout semble réussir exactement comme le serpent l'avait promis, mais par ailleurs quelle déception! En ouvrant les yeux, ils ne voient pas du tout ce à quoi ils s'attendaient. Au lieu d'être égaux à Dieu et connaissant tout, comme le serpent l'avait promis, «ils connurent qu'ils étaient nus» (3, 7). Au début du micro-texte, ils acceptaient leur nudité, leurs limites, sans honte (2, 25). Ce qui auparavant n'était pas ressenti comme un manque devient maintenant l'objet d'une découverte pénible. L'homme et la femme réalisent combien ils sont limités. Eux qui s'étaient émerveillés de leur présence mutuelle et de leur

---

8   J.M. Higgins, «The Myth of Eve: The Temptress», *Journal of the American Academy of Religion*, 44 (1976), p. 639-647.

découverte réciproque (2, 23) ont maintenant honte l'un en face de l'autre. Afin de dissimuler leurs limites, «ils cousirent des feuilles de figuier et se firent des pagnes» (3, 7). Ce micro-texte s'achève. L'état initial de manque, la nudité, est transformé en habillement. Le serpent a voulu renverser l'ordre établi, l'animal a triomphé de l'être humain et celui-ci, dans son désir de devenir divin, a perdu l'harmonie qui existait dans la relation homme – femme. Chacun a honte en face de l'autre et éprouve le désir de se cacher, de se montrer autre qu'il ou elle est.

Dieu vs l'être humain (3, 8-21)

Le récit semblait être terminé, pourtant il se poursuit. De la même manière que Dieu était apparu dans le deuxième micro-texte pour orienter le récit dans une direction inattendue (2, 8-17), il fait maintenant son apparition et des choses curieuses se produisent...

Dieu commence d'abord par un *procès* (3, 8-13). «Ils entendirent la voix de Yahweh Dieu qui se promenait dans le jardin à la brise *(ruah)* du jour.» (3, 8a) Rien ici de l'image romantique d'un Dieu qui flâne dans le jardin[9]. La «voix de Dieu» fait allusion au tonnerre (Ps 29), signe du jugement divin. Ils entendent cette voix «se promener» dans le jardin; en effet, on entend parfois le bruit du tonnerre d'abord au loin puis graduellement de plus en plus proche. Écouter la voix de Dieu signifie souvent dans la Bible obéir à Dieu; comme ils ne l'ont pas fait, ils entendent maintenant la voix du jugement s'approcher.

---

9   M.G. Kline, «Primal Parousia», *Westminster Theological Journal*, 40 (1977-78), p. 245-280. Le texte place l'événement «à la *ruah* du jour», ce qu'on traduit souvent par «la brise du jour»; Kline le traduit par «l'esprit du jour» ou mieux par «le jour de l'Esprit», à comparer avec «le jour de Yahweh» dont parlent les prophètes et qui annonce souvent le jugement.

La première réaction spontanée de tout coupable est d'essayer de se cacher: «L'homme et sa femme se cachèrent devant Yahweh Dieu parmi les arbres du jardin.» (3, 8b) À Dieu qui est à sa recherche, l'être humain répond: «J'ai entendu ta voix dans le jardin, j'ai eu peur parce que je suis nu et je me suis caché.» (3, 10) Sa réponse est toute centrée sur lui-même (il répète quatre fois «je»). L'être humain qui venait de s'habiller se reconnaît encore «nu» en présence de Dieu. Cela indique clairement que la nudité a une signification plus vaste que le domaine sexuel. En présence d'une autre personne, l'être humain se sent limité, mais il éprouve encore davantage ce sentiment en présence de Dieu. La rupture de l'harmonie avait conduit à la honte devant l'autre, elle conduit également au sentiment de peur devant Dieu. La «crainte de Dieu» signifie normalement le respect de Dieu (Pr 1, 7) et l'obéissance à la volonté divine; ici, cette crainte est une réelle peur. Un être humain peut cacher ses limites devant une autre personne, mais Dieu voit à travers tous nos masques; devant Dieu, l'humain est toujours dans toute sa nudité. Nous sommes ici en présence d'un autre manque, c'est donc le début d'un nouveau micro-texte.

La première réaction des coupables est de se cacher mais, quand ils sont découverts, ils passent à la deuxième échappatoire pratiquée universellement: ils s'excusent en accusant l'autre. «L'homme répondit: "C'est la femme... qui m'a donné de l'arbre, et j'ai mangé!"» (3, 12) Le coupable continue de parler en «je», mais il attribue la faute à l'autre. L'homme et la femme étaient faits l'un pour l'autre (2, 23-24) et avaient décidé ensemble de prendre le risque de suivre l'invitation du serpent (3, 6). Le péché par contre conduit à l'isolement, à l'aliénation et même jusqu'au rejet de l'autre. L'homme va plus loin dans son accusation: «C'est la femme que tu as mise auprès de moi.» En dernière analyse, Dieu est le vrai coupable. L'homme est loin de l'acceptation de lui-même tel qu'il est, avec ses talents et ses faiblesses.

La femme agit comme son mari, elle aussi refuse d'accepter sa propre responsabilité et cherche quelqu'un à blâmer: «C'est le serpent...» (3, 13) L'interrogatoire de l'homme et de la femme souligne que les humains doivent rendre compte de leurs actes, qu'ils en sont donc responsables. Le serpent n'est pas interrogé; s'il avait parlé, nous aurions su pourquoi il a agi de la sorte. Nous aurions connu le pourquoi du mal dans le monde! L'origine du mal reste un mystère insoluble.

Après le réquisitoire, Dieu passe à la *sentence* (3, 14-19). L'harmonie dans les relations fondamentales telles que décrites dans le premier tableau du récit (2, 4b-24) est remplacée par un tout autre comportement. Les versets décrivant cette sentence sont étiologiques; ils veulent répondre aux questions relatives à certains problèmes que nous expérimentons chaque jour. Le manque d'harmonie dans notre monde est ainsi lié au péché. La position des acteurs dans le récit du péché était serpent – femme – homme; dans le réquisitoire, homme – femme – serpent; puisque chaque acteur renvoie la faute sur l'autre, l'ordre de la sentence est serpent – femme – homme.

Dieu commence par châtier le serpent que la femme venait d'accuser comme étant le grand coupable (3, 14-15). Comme animal, il était inférieur à l'être humain (2, 19-20); il a voulu renverser cet ordre (3, 1-5), il reprendra maintenant sa place. Mais cette place inférieure liée à sa nature devient ici une humiliation consécutive à sa révolte: «Parce que tu as fait cela...» Son châtiment comporte deux parties. Dieu dit d'abord: «Maudit *(arur)* sois-tu entre tous les bestiaux... Tu marcheras sur ton ventre et tu mangeras de la terre.» (3, 14) Le serpent est le seul acteur à recevoir une malédiction dans le récit. L'animal le plus rusé *(arum*, 3, 1) est devenu maudit *(arur)*, le plus méprisé. Si on prenait ce texte à la lettre, on pourrait croire que Dieu a coupé les pattes du serpent! Le serpent a toujours marché sur le ventre

mais le texte qui est étiologique explique cette caractéristique du serpent symbolise ici un abaissement (Lv 11, 42).
On croyait également que le serpent mangeait de la terre
(Is 65, 25); cet aspect est présenté ici comme une autre
image de mépris (Is 49, 23) et de défaite (Mi 7, 17). Il se
peut que l'auteur, en mentionnant cet animal, critique aussi
le culte idolâtrique de son temps. Le serpent qui dans bien
des cultures était adoré comme déesse de la fécondité et de
la fertilité n'est qu'un animal, il est même le plus mépri-
sable, et ne se nourrira plus des gâteaux que lui apportaient
ses adoratrices (Jr 44, 15-19).

La deuxième partie du châtiment du serpent affecte
directement les relations entre le serpent et l'être humain.

> Je mettrai une hostilité
> entre toi   et la femme,
> entre ton lignage   et le sien.
>   Il t'écrasera *(shuf)* la tête
> et tu l'atteindras *(shuf)* au talon. (3, 15)

La lutte pour le pouvoir entre le serpent et la femme
commencée au jardin se poursuivra entre leur lignage
mutuel, donc durant les générations à venir. La dernière
étape de la lutte est décrite par le verbe *shuf*, un verbe très
rare dans la Bible (il revient seulement en Jb 9, 17) qui
signifie «guetter» ou «écraser». On pourrait ainsi traduire
deux fois par «guetter» ou deux fois par «écraser» ou, en
tenant compte des deux parties distinctes du corps, «écraser
la tête» et «guetter le talon»; l'auteur ferait ainsi un autre jeu
de mots, comme il l'a déjà fait à plusieurs reprises dans le
récit. Selon certains exégètes, le texte parlerait d'une lutte
sans issue et sans vainqueurs: pendant que l'humanité, le
lignage de la femme, écrase la tête du serpent, le serpent la
mord encore au talon avec son venin mortel. L'ensemble du
texte suggère plutôt que la victoire appartient à l'humanité:
le serpent est maudit et mange la terre, signe de défaite
(3, 14). Même si le serpent atteint le talon, une fois que sa

tête est écrasée, c'en est bien fini de lui. Le verset décrit également les relations entre animaux et êtres humains. Le récit avait montré la maîtrise apparemment facile de l'être humain sur les animaux (2, 19-20); dorénavant, elle ne s'obtiendra que par la lutte. Le verset explique pourquoi les gens doivent se défendre contre les animaux sauvages et pourquoi ils ressentent une appréhension particulière vis-à-vis des serpents.

Ce texte, dont la signification est pourtant simple, a provoqué de grandes discussions dans l'histoire de l'exégèse[10]. Le serpent, appelé le plus rusé des animaux et qui veut renverser l'ordre établi, est la cause du mal; il est ainsi interprété non pas comme un simple animal mais comme l'incarnation du mal. Il sera même plus tard identifié avec Satan. Le lignage du serpent représente donc les forces du mal auxquelles toute l'humanité, le lignage de la femme, est confrontée. L'humanité obtiendra pourtant la victoire sur le mal. Le verset reçoit alors un sens sotériologique, car il contiendrait la proclamation du salut. On donne parfois au verset le titre de «Protévangile», première bonne nouvelle.

Cette interprétation sotériologique a entraîné maintes discussions sur l'identité du vainqueur. Le texte parle du lignage de la femme; on devrait donc en conclure que l'humanité écrasera le mal. Mais le combat commence entre deux individus, le serpent et la femme, il se poursuit entre deux collectivités, les forces du mal et l'humanité, mais dans l'étape finale le serpent réapparaît comme individu. Il serait donc plus logique que le vainqueur soit aussi un individu. Il est d'ailleurs difficile pour l'humanité d'écraser la tête du

---

10   J.P. Lewis, «The Woman's Seed (Gen 3: 15)», *Journal of the Evangelical Theological Society*, 34 (1991), p. 299-319; W. Vogels, «Lezingen van het zogenoemde "Proto-evangelie" (Gen 3, 15)», *Sacerdos*, 53 (1986), p. 351-366, avec bibliographie (Tradution allemande «Das sog. "Proto-Evangelium" (Gen 3, 15): Verschiedene Arten, den Text zu lesen», *Theologie der Gegenwart*, 29 (1986), p. 195-203).

serpent. Le texte hébreu, «*hu* écrasera», emploie le pronom *hu* qui, comme «il» en français, peut être neutre ou masculin. Si on traduit par un neutre, «il» réfère au lignage mais, si on traduit par un masculin, «il» réfère à un individu mâle. La traduction grecque a compris le texte dans ce sens individuel[11]. L'individu ainsi visé est alors le messie, qui obtiendra pour l'humanité la victoire sur le mal. Le texte reçoit un sens messianique et se réalise pour les chrétiens dans la personne de Jésus. Dans la tradition catholique, ce rôle a parfois été attribué à la Vierge, même si le texte hébreu ne permet pas de traduire par un féminin (*ipsa conteret*, «elle écrasera la tête», comme l'a traduit en latin la Vulgate).

Après le châtiment du serpent vient celui de la femme: «Je multiplierai les peines de tes grossesses, dans la peine tu enfanteras des fils.» (3, 16a) En mangeant de l'arbre, les êtres humains se sont exposés à la mort. Pourtant la race continuera à vivre dans le lignage (3, 15) que la femme mettra au monde dans la souffrance. La fécondité comporte vie et mort, mais elle est toujours préférable à la stérilité qui n'est ni vie ni mort. La femme souffre dans sa mission de mère mais aussi comme épouse: «Ta convoitise *(teshuqah)* te poussera vers ton mari *(ish)* et lui dominera sur toi.» (3, 16b) Le mot *teshuqah* est très rare dans la Bible (il ne revient qu'en Gn 4, 7 et Ct 7, 11). On l'a compris soit comme le désir sexuel qu'elle continue à éprouver malgré ses souffrances pendant l'enfantement, soit comme le désir psychologique de pouvoir s'appuyer sur l'homme. Le texte désigne sûrement le désir de la femme pour l'homme dans toutes ses dimensions, ce désir envers celui qui est censé lui apporter sa complémentarité car il n'est pas bon pour un être

---

11   R.A. Martin, «The Earliest Messianic Interpretation of Genesis 3, 15», *Journal of Biblical Literature*, 84 (1965), p. 425-427.

humain d'être seul (2, 18). L'attachement du mari à sa femme pour leur épanouissement mutuel (2, 24) est remplacé par sa domination sur elle[12]. Il a été suggéré que le mot *teshuqah* désigne ici le désir de pouvoir, d'autorité[13]; le texte signifierait alors que la complémentarité mutuelle est remplacée par le désir de domination mutuelle, la lutte des sexes. Retenons que ce récit étiologique explique que les souffrances de la femme comme mère et épouse sont liées au péché, donc anormales.

Le texte finit par le châtiment de l'homme (3, 17-19). Dans la première partie du récit (2, 4b-24), l'auteur a choisi ses termes avec soin: il utilise *adam* pour parler de l'être humain en général et *ish* pour l'homme. Dans la deuxième partie (2, 25-3, 24), il ne respecte pas toujours ces nuances. Il utilise encore *ish* pour l'homme, le mari de la femme *(ishah)*, (3, 6. 16), et *adam* pour l'être humain en général, mais parfois aussi pour l'homme seul. Un autre changement est que le mot *adam* apparaît pour la première fois sans article, il devient ainsi un nom propre: «À Adam, il dit...» (3, 17, aussi en 3, 21). Le mot utilisé pour l'humanité désigne maintenant l'homme, illustrant la domination de l'homme sur la femme. Mais le châtiment qui frappe l'homme s'applique également à la femme, il s'agit en somme du châtiment de toute l'humanité.

Même s'ils ont péché par décision commune, l'homme en accusant sa femme (3, 12) prétend avoir écouté la voix de

---

12   J.J. Schmitt, «Like Eve, Like Adam: *msl* in Gen 3, 16», *Biblica*, 72 (1991), p. 1-22. Le verbe *msl* peut signifier «dominer», «se moquer» ou «être comme»; Schmitt opte pour la dernière traduction, «et il sera comme toi». Comme la femme éprouve un désir sexuel pour l'homme, ainsi l'homme l'éprouve pour la femme. Schmitt trouve une confirmation pour son interprétation dans 2, 23-24. Cette interprétation sexuelle est trop restrictive.

13   S.T. Foh, «What Is the Woman's Desire?», *Westminster Theological Journal*, 37 (1974-75), p. 376-383.

sa femme au lieu de celle de Dieu. L'être humain a rejeté la
voix divine quand elle lui a parlé pour la toute première fois
(2, 16-17); il s'est ensuite caché en entendant cette voix
(3, 8. 10) qui prononce maintenant la punition touchant aussi
bien l'homme que la femme. «Maudit soit le sol à cause de
toi... Il produira pour toi épines et chardons et tu mangeras
l'herbe des champs. À la sueur de ton visage tu mangeras
ton pain.» (3, 17-19a) Le macro-texte avance graduellement
vers sa fin. L'être humain avait été modelé du sol pour le
cultiver et faire pousser l'«herbe des champs» (2, 5). Il fut
ensuite transféré au jardin, mais l'être humain reviendra ulti-
mement à sa destination première. Il travaillera le sol maintenant affecté par le péché de l'être humain, sol maudit qui
lui résistera. Il en coûtera de la «sueur» à l'être humain pour
gagner son pain de l'«herbe des champs».

Ce travail pénible durera «tous les jours de ta vie»
(3, 17; cf. 3, 14). L'homme et la femme ne sont donc pas
morts le jour de la manducation du fruit défendu (2, 17). On
dirait que Dieu s'est trompé et que le serpent a eu raison de
dire qu'ils ne mourraient pas (3, 4). Il existe bien des explications pour résoudre cette difficulté du texte: Dieu leur
aurait accordé une grâce spéciale; le verset signifie simplement que si jamais ils en mangent, ils deviennent passibles
de mort; Dieu parlait de façon métaphorique (2, 17), contrairement au serpent qui a compris Dieu dans un sens littéral,
physique (3, 5). L'obéissance à la loi apporte vie, croissance
personnelle; la désobéissance apporte mort, corruption personnelle qui commence le jour même. La vie n'est plus plénitude, elle est devenue aliénation[14]. Le texte ne suggérait
manifestement pas une mort instantanée. Au contraire, la
femme connaît la fécondité et l'homme travaille durement
tous les jours de sa vie, qui comptera 930 ans (5, 5), au bout

---

14   R.W.L. Moberly, «Did the Serpent Get it Right?», *Journal of Theological
      Studies*, 39 (1988), p. 1-27.

de laquelle suivra la mort comme voie naturelle: «Jusqu'à ce que tu retournes au sol, puisque tu en fus tiré. Car tu es glaise et tu retourneras à la glaise.» (3, 19b-20) Une fois de plus le texte nous ramène au début du macro-texte. Yahweh avait modelé l'être humain avec la glaise du sol (2, 7), c'est à cela qu'il retournera.

Si hommes et femmes s'appellent l'un l'autre «homme» et «femme» (2, 23), l'homme décide ici du nom de sa femme. Il montre sa domination, même s'il lui donne un titre d'honneur: «L'homme appela sa femme "Ève" *(Hawwah)*, parce qu'elle fut la mère de tous les vivants.» (3, 20) Le nom est expliqué par le verbe «être» *(hayah)*. La femme n'est plus seulement épouse mais aussi mère par sa fécondité, même si ce n'est pas sans peine (3, 16). Le récit contient maintenant deux noms propres, «Adam», humanité et «Ève», vie.

L'homme et la femme s'étaient habillés pour cacher leur nudité, leurs limites, l'un devant l'autre (3, 7), mais ils n'ont pas réussi à cacher leur nudité devant Dieu (3, 8-10). Dieu seul peut couvrir la nudité humaine: «Yahweh Dieu fit à Adam et à sa femme des tuniques de peau et les en vêtit.» (3, 21) Imposer des habits à quelqu'un est un geste d'investiture par lequel un supérieur fixe le statut d'un inférieur (Gn 41, 42; Is 22, 21). Dieu investit l'homme et sa femme du symbole de leur humanité, qui les distingue des animaux qui ne portent pas de vêtements[15]. L'homme et sa femme se tiennent maintenant vêtus devant Dieu; leurs limites sont réelles et elles sont toujours là, mais couvertes. La peur qu'ils ressentaient devant Dieu au début (3, 10) peut faire place à la confiance, ils se savent acceptés par Dieu. Un autre micro-texte vient de se terminer; les relations fonda-

---

15   R.A. Oden, «Grace or Status? Yahweh's Clothing of the First Humans», dans R.A. Oden, éd., *The Bible Without Theology: The Theological Tradition and Alternatives to It* (coll. *New Voices in Biblical Studies*), New York, Harper and Row, 1987, p. 92-105.

mentales de l'être humain, surtout celles avec Dieu, ne sont plus les mêmes qu'avant.

Le sol vs l'être humain (3, 22-24)

Le macro-texte touche à sa fin. «Puis Yahweh Dieu dit: "Voilà que l'être humain *(adam)* est devenu comme l'un de nous, pour connaître le bien et le mal !"» (3, 22a) Dans cette dernière partie du texte, *adam* inclut clairement l'homme et la femme. Les êtres humains ont tendance à désirer savoir et pouvoir toujours plus, ce qui leur permet d'améliorer le monde où ils vivent. Comme Dieu (2, 18), ils peuvent constater les lacunes, trouver les moyens de les combler (3, 7) et ainsi contribuer au progrès. Ils peuvent s'approcher de Dieu de plus en plus, jusqu'au point où ils croient savoir/pouvoir tout, en somme croire être Dieu. Illusion, car ils sont seulement «comme l'un de nous» (les êtres divins), et non pas Dieu. La distinction entre Dieu et l'être humain demeure, tout le progrès et toutes nos connaissances ne réussissent pas à supprimer la mort. «"Qu'il n'étende pas maintenant la main, ne cueille aussi de l'arbre de vie, n'en mange et ne vive pour toujours!" Et Yahweh Dieu le renvoya du jardin d'Éden pour cultiver le sol d'où il avait été tiré.» (3, 22b-23) L'être humain, homme et femme, est renvoyé vers le sol pour le cultiver, ce pourquoi il avait d'abord été créé. Un manque avait déclenché tout le récit: «Il n'y avait encore aucun arbuste des champs... car il n'y avait pas d'être humain pour cultiver le sol.» (2, 5) L'être humain vit désormais sur ce sol, mais celui-ci lui résiste (3, 17-19).

L'être humain avait été chargé de «garder» le jardin (2, 15); maintenant, des êtres divins, chérubins et flamme au glaive fulgurant[16], reçoivent la mission de «garder» le chemin

---

16   R.S. Hendel, «"The Flame of the Whirling Sword": A Note on Genesis 3: 24», *Journal of Biblical Literature*, 104 (1985), p. 671-674. La flamme, comme les chérubins, est un être divin membre de la cour céleste, qui tient son arme en main.

de l'arbre de vie (3, 24). Parce que l'être humain a mangé du fruit défendu, l'accès à l'arbre de la vie lui est refusé; il connaîtra la mort qui viendra à la fin d'une vie qui manque souvent d'harmonie, parce que vécue en dehors du paradis.

2. Genèse 2-3, un récit en deux tableaux

Nous avons consacré deux chapitres de ce livre à l'étude de Genèse 2-3 à cause de la longueur des textes, pour des raisons purement pratiques, tout en soulignant que Genèse 2-3 forme une unité littéraire. Nous avons donné des références fréquentes d'une partie à l'autre, il nous reste à montrer comment l'ensemble se tient.

Le monde idéal vs le monde réel

En se basant sur le principe qu'un récit commence par un manque et arrive à sa conclusion une fois ce manque comblé, nous avons constaté l'unité parfaite de la narration qui commence en Genèse 2, 4b et finit en 3, 24. Le début du texte décrit une terre désertique parce qu'il n'y a pas d'être humain pour cultiver le sol; à la fin, l'être humain se retrouve sur le sol pour accomplir cette fonction. En suivant ce même principe qu'un récit est la transformation d'un état négatif à un état positif, nous avons noté que le macro-texte (2, 4b-3, 24) est composé de plusieurs micro-textes qui orientent parfois la narration dans une direction tout autre que celle que l'on aurait prévue.

Nous pouvons résumer tout le récit dans le schéma suivant:

a   l'être humain et le sol (2, 4b-7)
b   l'être humain et Dieu (2, 8-17)
c   l'être humain et les animaux – l'homme et la femme (2, 18-24)
c' l'animal vs l'être humain – l'homme vs la femme (2, 25-3, 7)
b' Dieu vs l'être humain (3, 8-21)
a' le sol vs l'être humain (3, 22-24)

Le récit décrit les relations fondamentales de l'être humain avec le sol, avec Dieu, avec les autres êtres vivants, animaux et humains. La structure montre que le texte comporte deux tableaux parallèles présentés sous forme de chiasme. Les trois premières sections parlent de l'harmonie dans ces relations: a) l'être humain est créé pour le sol qui dépend de lui, b) l'être humain est appelé à respecter Dieu en acceptant de rester humain, et c) comme humain il est supérieur aux animaux, mais une relation de complémentarité mutuelle se vit entre homme et femme. Tous les acteurs ont leur place et leur fonction précises. Cette situation comporte nécessairement des limites; celles-ci ne sont pas ressenties comme un manque mais acceptées comme normales. Les trois dernières sections décrivent la rupture de cette harmonie: c') l'animal s'oppose à l'être humain, l'homme et la femme en présence l'un de l'autre ont honte de ce qu'ils sont, b') l'être humain a peur de Dieu, et a') la relation avec le sol comporte un labeur pénible.

La ligne de démarcation entre les deux parties, là où le récit prend son tournant, se trouve en 2, 25: «Or tous deux étaient nus, l'homme et sa femme, et ils n'avaient pas honte l'un devant l'autre.» Quand on est capable de s'accepter soi-même tel que l'on est et les autres tels qu'ils sont, on vit en harmonie; on est capable de dire: «Si tu ne m'aimes pas tel que je suis, tant pis pour toi, tu ne sais pas ce que tu manques!» Mais on est porté à vouloir paraître différent de ce qu'on est vraiment, à avoir plus et mieux, d'où la tendance à s'habiller de masques pour cacher ses limites. On a aussi de la difficulté à accepter les autres tels qu'ils sont, d'où la jalousie, l'oppression et la violence dans le monde.

Le tableau décrivant la rupture (c'-b'-a') correspond au monde réel dans lequel nous vivons. Nous rêvons d'un monde différent, d'un monde idéal qui n'a jamais existé, mais que nous projetons dans le passé comme le bon vieux temps ou dans l'avenir comme le temps à venir. C'est ainsi que création et eschatologie se rejoignent. Le tableau décrivant l'harmonie (a-b-c) correspond au monde idéal tel que voulu par Dieu. Il décrit un rêve et non pas un souvenir. Nous pouvons pourtant travailler pour que ce monde de rêve devienne un jour réalité. Une clé offerte par le texte pour réaliser cela est l'acceptation de nos propres limites et de celles des autres.

Le premier péché

Bien des choses ont été dites et écrites sur le péché, cause de cette rupture de l'harmonie. Le récit le présente comme une désobéissance humaine à un ordre de Dieu, un abus de la liberté, ce grand privilège de l'être humain. Mais on a voulu préciser davantage la nature de ce péché. Si on fait une lecture littérale du texte, on doit conclure que l'homme et la femme ont mangé d'un fruit; il s'agit alors d'une sorte de péché de gourmandise ou d'un péché d'enfant. La tradition a fait de ce fruit une pomme, probablement par un jeu de mots ou par la confusion entre les mots latins *malum* (mal, mauvais) et *malum* (pomme). L'arbre du bien et du «mal» est devenu un pommier. Ceux qui acceptent le caractère symbolique du récit du paradis se demandent quel est le péché décrit par ces symboles. Puisque le texte mentionne la nudité (2, 25; 3, 7. 10. 11) et affirme que l'homme s'attache à sa femme pour devenir une seule chair (2, 24), certains Pères de l'Église, rabbins et psychanalystes modernes l'interprètent comme un péché de nature sexuelle. Nous avons montré que toutes ces expressions ont une portée plus vaste que le strict domaine sexuel. La nudité symbolise les limites. Devenir une seule chair réfère à l'union dans toutes ses dimensions. Une autre hypothèse voit sous ces symboles des allusions au culte idolâtrique de la fertilité, dans lequel le serpent jouait un rôle spécial (cf. Jr 44, 15-19).

Malgré toutes les images, le texte est très clair sur l'essentiel. Il affirme que l'homme et la femme cherchent à obtenir ce que l'arbre était supposé leur donner, la connaissance du bien et du mal, le savoir/pouvoir sur tout, espérant en somme devenir comme Dieu. L'homme et la femme refusent d'accepter leurs limites humaines, ils vont à l'encontre du principe énoncé en 2, 25, d'où une rupture de l'harmonie de l'ensemble de leur existence.

Une interprétation littérale, fondamentaliste, voit dans ce péché le premier péché chronologique, commis par le premier couple dont l'homme s'appelle Adam et la femme Ève. Puisque le récit n'est pas historique et ne décrit pas ce qui s'est passé au début du monde, il n'affirme rien sur un premier péché historique. Pourtant, l'auteur dit vrai: il décrit le premier péché, non pas chronologique, mais théologique, car le rejet de Dieu dont il parle va bien à l'encontre du premier commandement. «"Maître, quel est le plus grand commandement de la Loi?" Jésus lui dit: "Tu aimeras le Seigneur ton Dieu de tout ton cœur, de toute ton âme et de tout ton esprit: voilà le plus grand et le premier commandement".» (Mt 22, 36-38, avec citation de Dt 6, 5) Puisque le texte n'est pas historique, il ne parle pas non plus d'un premier couple; il décrit la condition humaine universelle, comment les gens agirent dans le passé, agissent maintenant et agiront dans l'avenir. Le récit parle de notre comportement à tous et à toutes.

Il est donc inexact d'intituler le texte «Récit de la chute d'Adam et Ève» et de dire qu'à cause de leur péché chaque être humain hérite du péché originel. Le texte décrit mon péché, nos péchés, mais la suite de Genèse 1-11 montre qu'une fois que le péché a pénétré dans la vie humaine d'autres suivent, et que cette rupture de l'harmonie aboutit alors à une confusion totale. Chaque être humain est né dans un contexte précis, dans tel pays, telle famille; la maladie d'un des deux parents peut affecter un enfant. Comme per-

sonne n'est sans péché, l'enfant partage la condition pecca-
mineuse de ses parents. Il a donc, comme chaque être
humain, besoin du salut apporté par le Christ, un besoin qui
peut grandir dans la vie selon les choix personnels qu'il fera.

Chapitre V

La désintégration de l'harmonie (Genèse 4, 1-6, 4)

La préhistoire a jusqu'à maintenant décrit l'harmonie dans l'univers et dans l'existence humaine mais aussi la rupture de cette harmonie, non pas dans la vie de quelques individus historiques du début de l'humanité mais dans la condition humaine. Le texte biblique poursuit sa réflexion sur le comportement humain.

1. La perte des trois relations fondamentales de l'être humain (4, 1-16)

L'auteur yahwiste, après avoir raconté l'histoire d'Adam et Ève au paradis (2, 4b-3, 24), rapporte celle de leurs deux fils, Caïn et Abel (4, 1-16)[1]. Ce court passage, simple à première vue, est l'objet d'interprétations très différentes. La lecture *littérale et fondamentaliste* voit dans ce récit le conflit entre les deux fils du premier couple humain historique.

---

1 W. Vogels, «Caïn: l'être humain qui devient une non-personne (Gn 4, 1-16)», *Nouvelle revue théologique*, 114 (1992), p. 321-340, avec une abondante bibliographie.

Nous avons suffisamment montré que l'histoire du paradis
est symbolique et ne parle pas du premier couple humain;
historiquement, on ne peut pas dire que Caïn et Abel sont
leurs fils. D'autres préfèrent une interprétation *mythologique*: l'histoire de Caïn et Abel ressemble au mythe de
Romulus et Remus. Des lectures *psychologiques* retrouvent
dans le texte le problème et les frustrations du deuxième
enfant de la famille[2]. Ces trois lectures donnent au récit une
interprétation individualiste; d'autres auteurs préfèrent une
interprétation collectiviste. Selon la théorie *ethnographique,*
le texte parle de la tribu des Qénites (Jg 1, 16; 4, 11) dont
Caïn serait l'ancêtre éponyme. Le récit tribal exprimerait le
mépris des Israélites pour ces Qénites. Rien de surprenant
qu'ils soient des bandits, avec un père comme Caïn! Des
approches *sociologiques* lisent dans le récit le conflit entre
agriculteurs et pasteurs, genres de vie respectifs de Caïn et
d'Abel (4, 2), ou l'opposition de la société aux forgerons,
puisque l'étymologie du nom «Caïn» indique son rapport
avec le fer[3].

Peu importe l'origine, peut-être tribale, du texte; dans sa
forme actuelle, il parle de la descendance d'Adam et Ève.
Cela ne signifie pas que nous retombons dans une interprétation littérale ou historicisante. Nous avons en effet clairement opté pour le caractère symbolique et mythique des
textes précédents, dans lesquels il est question de la condition humaine et non d'individus historiques. Le récit de Caïn
et Abel suit l'histoire du paradis dans la forme actuelle du
livre de la Genèse; il doit donc être lu dans le prolongement
de Genèse 2-3. Les nombreux parallèles entre les deux

---

2   L. Beirnaert, «La violence homicide: l'histoire de Caïn et d'Abel», *La vie
     spirituelle Supplément*, 29 (1976), n° 119, p. 435-444.

3   J.F.A. Sawyer, «Cain and Hephaestus: Possible Relics of Metalworking
     Traditions in Genesis 4», *Abr-Nahrain*, 24 (1986), p. 155-166.

récits[4] que nous signalerons dans l'analyse le confirment et aideront à dégager le sens du texte.

Présentation des acteurs (4, 1-2 // 2, 21-24)

Le récit commence par: «L'homme connut Ève, sa femme *(ishah)*.» (4, 1) Par l'insistance sur «sa femme *(ishah)*», le texte renvoie le lecteur au récit précédent qui traite longuement de la relation homme – femme. Le verbe «connaître» joue également un rôle important dans le récit du paradis. On y retrouve «l'arbre de la connaissance du bien et du mal» (2, 9. 17), le symbole du savoir/pouvoir tout par lequel l'être humain pouvait devenir divin. Le serpent l'affirme clairement: «Mais Dieu sait (même verbe) que, le jour où vous en mangerez... vous serez comme *elohim* (comme des dieux ou comme Dieu), qui connaissent le bien et le mal.» (3, 5; cf. 3, 22) Mais à leur grande surprise, après en avoir mangé, «ils connurent qu'ils étaient nus» (3, 7). Auparavant, ils acceptaient leur nudité (2, 25). Après la transgression, ils en ont honte et éprouvent le désir de cacher leurs limites: «Ils cousirent des feuilles de figuier et se firent des pagnes.» (3, 7) Ce verbe «connaître», qui joue un rôle si important dans le récit du paradis, apparaît maintenant comme la première action du couple chassé du paradis. Malgré la honte de leurs limites, qui poussa l'homme et la femme à se couvrir l'un vis-à-vis de l'autre, ils transcendent cette honte, ils risquent de se dénuder pour se connaître. Le verbe «connaître» comporte ici une connotation sexuelle; c'est précisément par l'acte sexuel que deux personnes se pénètrent, obtiennent une connaissance mutuelle des plus intimes.

---

4   A.J. Hauser, «Linguistic and Thematic Links Between Genesis 4:1-16 and Genesis 2-3», *Journal of the Evangelical Theological Society*, 23 (1980), p. 297-305.

La connaissance acquise au paradis était décevante. Ici, au contraire, le risque de se connaître intimement produit un résultat heureux: «Elle conçut et enfanta» (4, 1), malgré toutes les douleurs rattachées à l'enfantement (3, 16). Malgré leurs limites, l'homme et la femme ont pu créer ce qui est le plus précieux, la vie. Rien d'étonnant que la femme, qui avait parlé avec le serpent (3, 1-5), reprenne maintenant — et non pas l'homme — la parole: «J'ai procréé (ou «acquis», *[qaniti]*) un homme avec Yahweh.» (4, 1)[5] La naissance de cet enfant est «avec», «grâce à», ou «avec l'aide de» Yahweh. L'œuvre de création commencée au récit précédent se poursuit. Cette exclamation jubilante de la femme correspond à l'exclamation admirative de l'homme qui, au moment de l'apparition de la femme au paradis, a enfin trouvé un partenaire (2, 23). Il est significatif qu'Ève dise qu'elle a procréé un «homme» *(ish)* et non pas un enfant. Un homme *(ish)* vient de la femme *(ishah,* le mot est mentionné explicitement, «Ève, sa femme») tandis qu'au paradis la femme *(ishah)* fut tirée de l'homme *(ish)* (2, 23). L'homme avait donné le nom «Ève» à sa femme parce qu'elle serait «la mère de tous les vivants» (3, 20). Maintenant, comme femme et mère, elle donne le nom de «Caïn» *(Qayin* en hébreu, lié par étymologie populaire au *qaniti)* à un homme. Les rôles sont renversés.

Ce qui est déjà arrivé se produit une deuxième fois. Comme Ève «enfanta Caïn» (4, 1), «elle enfanta encore son frère Abel» (4, 2). Le texte ne répète pas que cette conception est le résultat d'une connaissance mutuelle. Il ne mentionne pas non plus la joie qu'apporte la naissance d'un être humain; le lecteur sait tout cela. Ce serait forcer le texte que de voir dans ce silence un manque d'attention de la mère pour son deuxième fils et d'y retrouver les théories psycho-

---

5   C. Hauret, «Genèse 4, 1: Possedi hominem per Deum», *Revue des sciences religieuses*, 32 (1958), p. 358-367.

logiques sur les frustrations du deuxième enfant de la famille. Le texte souligne par contre, en le répétant plusieurs fois, qu'Abel est le «frère» (4, 2. 8 [2 fois]. 9 [2 fois]. 10. 11). Dans l'histoire du paradis, les deux acteurs mis en place étaient l'homme et la femme, deux êtres appelés à se compléter, à être l'un pour l'autre l'«aide assortie», le vis-à-vis (2, 18. 21-24). Les acteurs du présent récit sont deux frères, deux individus juxtaposés, sans allusion à une complémentarité mutuelle. Mais comme la relation homme – femme, la relation frère – frère aboutit finalement à la rivalité. Le nom «Abel» (qui signifie souffle, vapeur, donc celui qui ne durera pas) le suggère déjà implicitement au lecteur.

Le texte mentionne ensuite le métier des deux frères. «Caïn cultivait le sol *(adamah)*» (4, 2), il poursuit le métier de ses parents chargés par Dieu de «cultiver le sol» (3, 23; cf. 2, 5). «Abel faisait paître les moutons.» (4, 2) Il semble commencer quelque chose de nouveau. Pourtant lui aussi, à sa façon, poursuit la tâche de ses parents, chargés de nommer les animaux, indiquant ainsi leur supériorité sur eux (2, 19-20; le pouvoir donné à l'humanité sur les animaux est aussi signalé explicitement dans le récit sacerdotal de la création, Gn 1, 26. 28). On ne peut donc pas prétendre qu'un métier soit supérieur à l'autre ou préféré par Dieu, puisque chacun correspond à un aspect de la mission confiée à l'humanité[6]. Les deux frères sont juxtaposés, leurs métiers également; en même temps, on pourrait les dire complémentaires, car les deux sont nécessaires à l'humanité.

Le début du récit de Caïn et Abel (4, 1-2) reprend les trois relations fondamentales de l'être humain décrites dans le récit du paradis. On y retrouve en effet la relation avec le sol («Caïn cultivait le sol»), la relation avec Dieu («j'ai procréé avec [ou acquis par] Yahweh») et la relation avec les

---

6   W. Vogels, «De mens, schepsel en beheerder (Gen 1, 26-28)», *Collationes*, 19 (1989), p. 263-291.

autres créatures vivantes: avec les animaux («Abel faisait paître les moutons») et rapport homme – femme («l'homme connut sa femme»). Le récit introduit également de nouvelles relations entre les êtres humains; d'abord indirectement et brièvement, la relation parents – enfants, la relation frère – frère longuement développée (un auteur moderne plus sensible au langage inclusif aurait peut-être parlé d'une relation frère – sœur!). Comme la répétion du terme «frère» l'indique, cette relation est au centre du récit; elle aura aussi des répercussions sur les autres relations mentionnées.

L'être humain face à ses limites (4, 3-5 // 2, 25)

Après la présentation des acteurs, l'action démarre: «Il arriva que...» Contrairement aux parents qui s'étaient révoltés contre Dieu, leurs deux fils lui apportent des offrandes. «Caïn présenta des fruits du sol en offrande à Yahweh.» (4, 3) Il prend l'initiative et ne suit en cela aucune obligation. Caïn offre des fruits, tandis qu'Adam et Ève s'étaient éloignés de Dieu en mangeant d'un fruit (3, 1-6). Abel apporte (même verbe) «lui aussi» son offrande. Le texte insinue ainsi qu'Abel suit l'exemple de son frère (4, 4). Chacun fait son offrande selon le métier qu'il pratique: Caïn présente les fruits de la terre et Abel, de ses bêtes. Il est vrai qu'Abel offre «les premiers-nés» et «de leur graisse». Mais le texte permet-il d'affirmer que Caïn aurait offert des dons moins acceptables, des choses sans valeur pour lui? Si c'était le cas, on comprendrait mal pourquoi il aurait pris l'initiative des sacrifices. D'ailleurs, nulle part il n'est dit que toute offrande doit nécessairement consister en prémices.

Soudain, le texte surprend le lecteur: «Yahweh tourna son regard vers (agréa) Abel et son offrande, mais il ne tourna pas son regard vers (n'agréa pas) Caïn et son offrande.» (4, 4-5a) Le texte ne dit pas comment Caïn et Abel s'en sont rendu compte. Ce sont les artistes de nos images pieuses qui font monter la fumée de l'offrande d'Abel vers le haut et retomber celle de l'offrande de Caïn vers la terre[7]. Cette acceptation et cette non-acceptation constituent le problème théologique de ce passage. On part généralement de l'affirmation que Dieu est juste et non pas capricieux. L'explication du choix divin est donc à chercher dans la personne humaine ou dans le sacrifice lui-même. Ou bien on suggère que Dieu préfère le plus jeune (Gn 21, 1-14; 25, 23) puisque Ève favorise l'aîné[8]; ou que Dieu préfère Abel, le pasteur, parce que son genre de vie correspond à celui d'Israël au temps idéal du désert; ou bien on attribue à Caïn et à Abel des dispositions intérieures différentes. On accuse Caïn d'être avare; il aurait donné le minimum requis, tandis qu'Abel offre le meilleur, présentant «des premiers-nés» et «même de leur graisse» (Ex 34, 19; Lv 3, 16). La foi d'Abel devait sans doute être plus parfaite (Hé 11, 4; 1 Jn 3, 11-12)! D'autres cherchent la raison dans la nature du sacrifice lui-même. Dieu préférerait les sacrifices d'animaux, puisque le sang et donc la vie même est offerte et qu'ils produisent une meilleure odeur (Gn 8, 20-21)[9]. Toutes ces explications prises hors du texte demeurent hypothétiques et aucune ne se vérifie dans le récit. Rien ne permet d'affirmer que Dieu vient au secours du plus jeune parce qu'il serait moins apprécié par ses parents. Les deux métiers sont aussi valables l'un que l'autre, car les deux correspondent à des tâches confiées par Dieu à l'humanité[10]. Le contenu de l'offrande

---

7   A. Scheiber, «A Remark on the Legend of the Sacrificial Smoke of Cain and Abel», *Vigiliae Christianae*, 10 (1956), p. 194-195.

8   J. Goldin, «The Youngest Son or Where Does Genesis 18 Belong», *Journal of Biblical Literature*, 96 (1977), p. 27-44.

9   S. Levin, «The More Savory Offering: A Key to the Problem of Gen 4:3-5», *Journal of Biblical Literature*, 98 (1979), p. 85.

10   «There is nothing here of Yahweh preferring cowboys to farmers»: W. Brueggemann, *Genesis* (coll. *Interpretation: A Bible Commentary for Teaching and Preaching*), Atlanta, J. Knox, 1982, p. 56.

ne justifie pas non plus une acceptation ou une non-acceptation. Si l'un des deux «méritait» plus d'attention, ce serait
bien Caïn, puisqu'il a pris l'initiative des offrandes. Il est le
premier être humain à poser un tel geste.

Plusieurs auteurs parlent de l'«acceptation» d'Abel et
du «rejet» de Caïn. Il est important de noter que le texte ne
dit jamais que Dieu «rejeta» Caïn et son offrande, mais bien
qu'il «ne l'accepta pas». Il y a là une différence capitale: ne
pas aimer une personne ne signifie pas la haïr. Caïn est une
personne procréée avec (ou acquise par) Dieu (4, 1); il a
clairement un lien spécial avec Dieu, mais il n'en est pas
l'élu, le préféré. Il n'est pas agréé, sans pour autant être rejeté[11]. Le texte parle tout simplement de l'expérience que font
quotidiennement les êtres humains: la vie n'est pas «juste»!
Elle est toujours imprévisible: ce qu'on attend n'arrive pas
et ce qu'on n'attend pas se produit. Puisque Dieu, dans la
pensée biblique, dirige la vie, c'est bien lui le responsable de
ces inégalités. La Bible est remplie d'exemples semblables.
Il s'agit d'un mystère pour lequel il n'existe aucune explication adéquate; on peut se révolter ou s'en accommoder. Le
meilleur exemple en est Job: un jour, il est riche; le lendemain, il n'a plus rien. Sa première réaction sera d'affirmer:
«Si nous accueillons le bonheur comme un don de Dieu,
comment ne pas accepter de même le malheur!» (Jb 2, 10)
Mais la révolte ne tardera pas[12]...

Le texte décrit ensuite la réaction de Caïn face aux
déceptions de la vie: «Caïn en fut très irrité et son visage fut
abattu.» (4, 5b) Notons la différence avec le récit du paradis,

---

11   M. Howell et W. Vogels, «L'analyse discursive du récit de Caïn et Abel
     (Gen 4, 1-16)», *Sémiotique et Bible*, 16 (1979), p. 33-35.

12   W. Vogels, «Job a parlé correctement. Une approche structurale du livre
     de Job», *Nouvelle revue théologique*, 102 (1980), p. 835-852; id., *Job*
     (coll. *Belichting van het Bijbelbœk*), Boxtel/Brugge, Katholieke
     Bijbelstichting/Tabor, 1989.

où l'homme et la femme, conscients de leurs limites, les acceptent et peuvent se regarder face à face sans éprouver de honte (2, 25). L'harmonie humaine consiste précisément à s'accepter tel que l'on est et à accepter l'autre personne comme elle est. Caïn ne parvient pas à admettre sa condition limitée, ni le bonheur dont jouit Abel. Il n'est plus en paix, il est irrité et son visage est abattu; littéralement, «la tête lui tombe». Il ne peut plus regarder l'autre en face, il ne marche plus la tête haute.

La tentation (4, 6-7 // 3, 1-5)

La suite du texte montre bien que Caïn, bien qu'il ne soit pas agréé, n'est pourtant pas «rejeté». En effet, Dieu s'adresse à lui et lui pose des questions sur le «pourquoi» (2 fois) de son irritation et de son visage abattu (4, 6). Dieu agit avec Caïn comme avec Job. Dieu ne se justifie pas devant Job, puisqu'il n'y a rien à justifier. Il lui pose des questions (Jb 38-41). Les questions invitent à la réflexion; Caïn — comme Job — pourrait ainsi en arriver à relativiser son cas et à se rendre compte que ce qui lui est arrivé n'est pas la fin du monde!

Dieu explique ensuite à Caïn comment faire face aux déceptions de la vie, comment les surmonter et retrouver la paix intérieure. Le choix demeure entre les mains de l'être humain. Dieu présente à Caïn deux attitudes possibles. «Si tu agis bien, ne relèveras-tu pas la tête?» (4, 7) Si Caïn agit bien, lui dont la tête est tombée (4, 5), il pourra changer d'attitude, marcher la tête haute. Mais il y a aussi une autre possibilité: «Si tu n'agis pas bien...» (4, 7), Caïn pourrait aussi ne pas bien agir. Le texte ne dit pas «agir mal», contrairement au récit du paradis qui parle de l'arbre de la connaissance «du bien et du mal». En ce cas, qu'arrivera-t-il?

Littéralement, le verset se traduit: «À la porte le péché (féminin) tapi (masculin) et vers toi sa (masculin) con-

voitise. Mais toi, domine-le (masculin).» (4, 7) On croit
généralement que le verset est corrompu. Plusieurs solutions
ont été proposées pour corriger le texte ou le reconstituer en
transposant certains mots[13]. Dans la forme actuelle du texte,
le «péché» (féminin) ne peut pas être le «tapi» (masculin).
Ce dernier serait, selon certains auteurs, le tentateur; selon
d'autres, un démon (la notion de démon est cependant plus
tardive); selon d'autres encore, une bête (par exemple dans
la BJ), le verbe «tapir» décrit en effet le comportement
d'animaux (Gn 49, 9; Is 13, 21). «Domine-le» (masculin) se
référerait, d'après certains auteurs, à la responsabilité de
Caïn à l'égard de son frère Abel, à son rôle de premier-né,
au dévouement qu'il doit à son frère. Si on lit le récit dans le
prolongement du récit du paradis, la solution devient simple.
Au paradis, le tentateur était «le serpent (masculin), le plus
rusé de tous les animaux des champs que Yahweh Dieu avait
faits» (3, 1); c'est lui qui est maintenant le «tapi» (masculin), attitude qui est celle d'une bête. La traduction de ce
verset difficile devient alors: «Si tu n'agis pas bien, le péché
n'est-il pas à la porte, (le serpent) tapi qui te convoite? Mais
toi, domine-le.» On sait d'ailleurs que la lutte entre le serpent et l'humanité, commencée au paradis, devait se poursuivre dans les générations à venir (3, 15). On en voit le premier exemple dans la vie du fils aîné d'Ève. Le vocabulaire
utilisé provient également du récit du paradis, dans la description de la lutte entre l'homme et la femme après la rupture de l'harmonie: «Ta convoitise te poussera vers ton mari
et lui dominera sur toi.» (3, 16) Les déceptions de la vie ne
doivent pas prendre le dessus, Caïn peut en rester maître et
relever la tête.

Comme l'homme et la femme au paradis étaient placés
devant un choix, ainsi Caïn se trouve devant un choix semblable; d'un côté, le bien, de l'autre, la tentation. Dans les
deux récits, la décision appartient à la personne humaine.

---

13   L. Ramaroson, «À propos de Gn 4, 7», *Biblica*, 49 (1968), p. 233-237.

Le péché (4, 8 // 3, 6)

Caïn fait son choix et, comme au paradis, le mauvais choix! Le texte hébreu rapporte que «Caïn dit à son frère Abel» (4, 8), sans spécifier ce qu'il lui dit. Selon les traductions anciennes, Caïn aurait dit: «Allons aux champs», et certains auteurs modernes proposent de corriger le texte de cette façon. Le récit du paradis a mentionné l'apparition de la langue et de la parole. Il a également rapporté la première conversation, entre le serpent et la femme, suivie de la conversation entre Dieu et l'être humain. Ici apparaît la première conversation entre deux êtres humains. Même si son contenu nous est inconnu, nous savons qu'elle a conduit au meurtre d'Abel. L'auteur a peut-être préféré ne pas rapporter une telle conversation; sans doute devrait-on traduire: «Caïn parla à son frère Abel et, lorsqu'ils furent en pleine campagne, Caïn se jeta sur (littéralement, surgit contre) son frère Abel.» (4, 8) Les verbes parler et surgir prouvent que Caïn agit d'une façon délibérée et consciente. Finalement, il «le tua». Le texte répète deux fois «son frère». Nous sommes en présence du drame d'un homme qui, même après avoir fait des offrandes a Dieu, peut tuer son frère.

Le péché est décrit d'une façon très sobre. Aucun détail n'est ajouté pour satisfaire la curiosité malsaine de lecteurs avides d'histoires scabreuses. La description ne comporte qu'une série de verbes: il parla, il surgit, il tua, illustrant le tragique de l'action. Le texte suit en cela l'histoire du paradis où le péché est également décrit en un verset très court, ne contenant qu'un enchaînement de verbes d'action: «La femme vit... prit... mangea. Elle donna à son mari... il mangea.» (3, 6) Dans les deux textes, on distingue trois étapes dans le péché: la préparation (Caïn parla – Ève vit), la domination (il surgit contre – elle prit), l'achèvement de l'action (il tua – elle mangea).

On peut se demander ce que Caïn espérait obtenir par son action[14]. Il est déçu de ne pas avoir été accepté, mais comment pouvait-il s'attendre à le devenir en tuant celui qui est agréé? Il aurait dû réaliser qu'il ne faisait qu'aggraver la situation. Tant l'histoire du paradis que celle de Caïn illustrent ainsi la stupidité et le tragique du péché.

Le procès (4, 9-10 // 3, 9-13)

La question de Dieu, «Où est ton frère Abel?» (4, 9), rappelle celle qu'il pose à l'homme au paradis, «Où es-tu?» (3, 9), mais avec une différence. Au paradis, Dieu demande à l'homme où il est, puisqu'il a disparu en se cachant. Abel aussi a disparu, mais parce qu'il a été tué. Dieu ne peut plus lui poser de questions; seul Caïn est en mesure de répondre.

La réponse de Caïn comporte deux éléments. Il prétend d'abord: «Je ne sais *(yada)* pas.» (4, 9) Le verbe «connaître» *(yada)* (cf. 4, 1) réapparaît dans le récit. La première réaction du pécheur est le mensonge, le manque d'acceptation, le camouflage; elle est comparable à celle de l'homme et de la femme au paradis qui «se cachèrent devant Yahweh Dieu» (3, 8). Si son camouflage est détecté, le coupable est porté à blâmer quelqu'un d'autre. Caïn poursuit: «Suis-je le gardien de mon frère?» (4, 9) Le gardien de moutons aurait-il besoin d'un gardien? La Bible ne dit jamais qu'une personne a l'obligation d'être le gardien d'une autre, mais seulement de biens matériels (1 S 17, 22) ou d'animaux (Ex 22, 9). Dieu seul est le gardien de la personne humaine (Gn 28, 15; Ps 34, 21)[15]. Les parents de Caïn reçurent la mission de «garder» le jardin (2, 15) mais par la suite des êtres divins devaient «garder» le chemin de l'arbre de vie (3, 24), mon-

---

14   M. Nédoncelle, «Pourquoi Caïn a-t-il tué?», *Science et esprit*, 20 (1968), p. 165-170.

15   P.A. Riemann, «Am I My Brother's Keeper?», *Interpretation*, 24 (1970), p. 482-491.

trant ainsi comment Dieu surveille et prend soin de la vie. Après son mensonge, Caïn rejette donc la responsabilité sur Dieu lui-même. Yahweh avait tourné son regard vers Abel et son sacrifice (4, 4), il doit certainement s'occuper de son préféré. Comment peut-il supposer maintenant que Caïn soit le gardien de son frère? Caïn imite le comportement de l'homme au paradis qui, en disant «c'est la femme que tu as mise auprès de moi» (3, 12), rejette la responsabilité de son acte sur la femme (qui à son tour la rejette sur le serpent, 3, 13) et en dernière analyse sur Dieu, puisque c'est Dieu qui lui a donné la femme.

Yahweh reprend: «Qu'as-tu fait?» (4, 10) C'est la même question qu'il avait posée à la femme au paradis: «Qu'as-tu fait là?» (3, 13) «La voix du sang de ton frère crie du sol *(adamah)* vers moi!» (4, 10) Dieu entend la voix du frère crier vers lui, comme l'homme et la femme «entendirent la voix de Yahweh Dieu» (3, 8). Le camouflage parfait n'existe pas; après chaque crime, une voix continue toujours à crier pour éviter que le pécheur ne s'installe dans une fausse paix. La relation entre l'être humain et la terre réapparaît dans le récit. L'être humain fut modelé du sol *(adamah)* (2, 7); à sa mort, il retourne au sol *(adamah, 3, 19)* où il trouve le repos. Une mort violente ne peut pas produire cette osmose harmonieuse et paisible avec le sol: «Le sang crie du sol *(adamah).»*

La sentence (4, 11-12 // 3, 14-19)

Après le procès vient la sentence: «Maintenant, maudit sois-tu.» (4, 11) Caïn est le seul être humain à être frappé d'une malédiction; elle est identique à celle que Dieu prononça au paradis contre le serpent: «Maudit sois-tu» (3, 14), et contre le sol, «Maudit soit le sol *(adamah)* à cause de toi.» (3, 17) Pour Caïn, la malédiction change complètement son rapport avec le sol; en effet, il est «chassé du sol *(adamah)* qui a ouvert la bouche pour recevoir de ta main le sang

de ton frère» (4, 11). Caïn est chassé du sol puisqu'il l'a pol-
lué en y versant le sang d'Abel. «Si tu cultives le sol *(adamah)*, il ne te donnera plus son produit.» (4, 12) La mission
d'*adam* était de cultiver l'*adamah* mais, après le péché au
paradis, cette mission était devenue pénible puisque dorénavant le sol résistait à l'homme: «Il produira pour toi épines
et chardons.» (3, 18) Caïn avait pris sur lui cette mission difficile (4, 2) mais, en polluant le sol, il l'a rendu stérile: le sol
ne produira plus rien. Il est donc normal que Caïn en soit
chassé. Dieu complète ensuite, en toute logique, la sentence:
«Tu seras errant et vagabond sur la terre *(eretz)*.» (4, 12)
L'homme et la femme furent renvoyés du paradis au sol
(3, 23); Caïn est chassé du sol à la terre. Il retourne ainsi à
cette terre dont parle le tout début du récit du paradis, une
terre qui n'est qu'un désert sans végétation ni habitants, une
terre improductive et sans vie: «Il n'y avait encore sur la
terre *(eretz)* aucun arbuste des champs et aucune herbe des
champs.» (2, 5)

La mitigation du châtiment (4, 13-15 // 3, 21)

Comme la voix du sang d'Abel crie vers Dieu, ainsi
Caïn crie maintenant vers Dieu: «Mon *awon* est trop lourde
à porter.» (4, 13) Le mot *awon* peut signifier le crime, la
faute. Selon cette hypothèse, la phrase affirmerait que Caïn
considère son péché trop grand pour en recevoir le pardon. Il
exprime alors le regret de son acte. Mais *awon* peut également signifier la peine, le châtiment pour le crime. Dans ce
cas, Caïn se plaindrait que le châtiment est insupportable,
insinuant peut-être qu'il est disproportionné ou même injuste. Comme le mot possède ces deux significations, mieux
vaut les garder ensemble. Caïn, en regardant ce qu'il a fait et
les conséquences de son acte, considère que la vie est devenue intenable. Le cri de Caïn exprime son désespoir, peut-
être mêlé de l'espoir caché que la miséricorde de Dieu en
vienne à transcender sa justice.

Caïn a bien compris les conséquences de son acte: «Vois, tu me bannis aujourd'hui de la face du sol *(adamah)*.» (4, 14) Il perd le sol qu'il cultivait et qui lui produisait ce dont il avait besoin pour vivre, ce même sol où il est venu au monde et auquel il appartient, où il a vécu avec ses parents et son frère Abel. «Je devrai me cacher devant ta face.» (4, 14) Caïn se cache devant la face de Dieu pour échapper à sa colère (Ps 139, 7-12; Am 9, 3-4), comme l'homme et la femme s'étaient cachés devant «la face de Yahweh Dieu» (3, 8), espérant échapper ainsi à son jugement. «Je serai errant et vagabond *(nad)* sur la terre *(eretz)*, et quiconque me trouvera me tuera.» (4, 14) Caïn parcourant le désert est une proie facile pour les bêtes sauvages et les êtres humains qui y vivent. Ceux qui adoptent une lecture littérale et fondamentaliste de ce récit doivent se demander qui pourrait bien tuer Caïn, puisqu'il n'y a qu'Adam et Ève! Le texte mythique fait simplement référence au phénomène humain de la vengeance. Caïn qui a tué craint maintenant d'être tué à son tour (Nb 35, 33); il a fait l'expérience du meurtre et se souvient sans doute du dernier regard et du cri de sa victime.

Caïn réalise que le châtiment touche aux trois relations fondamentales de l'être humain: au sol, à Dieu et aux créatures vivantes, animales et humaines. Il souffre de ne pas être agréé par Dieu et craint que la non-acceptation soit maintenant devenue rejet.

Mais le dernier mot appartient à Dieu: «Yahweh lui dit: Non», il n'en sera pas ainsi. Caïn n'est pas rejeté et «si l'on tue Caïn, il sera vengé sept fois» (4, 15). La violence engendre encore plus de violence. La prise de conscience par l'humanité de cette loi effrayante — inhérente à la violence elle-même — met aussi, par sa cruauté, un frein à l'instinct de vengeance. «Yahweh mit un signe sur Caïn pour que quiconque le trouve ne le frappe pas.» (4, 15) Le texte ne dit pas en quoi consiste ce signe, quelle en est la forme. Sa signification est abondamment discutée. Selon une lecture ethnographique, il s'agirait d'un tatouage que les Qénites portaient comme signe distinctif d'appartenance à la tribu. Certains auteurs accordent au signe un sens négatif: il stigmatise Caïn aux yeux de tous comme meurtrier. D'autres lui accordent un sens positif: le signe montre l'appartenance de Caïn à Dieu, peut-être par le nom divin, ou une lettre du nom divin, ou une croix sur le front (Jr 31, 35; Éz 9, 4. 6). Le texte en explique clairement le sens: le signe veut protéger Caïn contre quiconque voudrait le tuer. En s'habillant, Adam et Ève se cachent l'un de l'autre; le signe protège Caïn contre l'autre. Aucun être humain n'a le droit de prendre une vie humaine. Mais, indirectement, le signe stigmatise aussi Caïn comme un meurtrier qui a besoin d'être protégé. La vie humaine comporte culpabilité et grâce.

Dans le récit du paradis, Dieu n'engage pas de dialogue avec l'homme et la femme après la sentence; en cela l'histoire de Caïn est différente. Pourtant, le récit du paradis comporte aussi une action de Dieu par laquelle il montre son acceptation des coupables: «Yahweh Dieu fit à l'homme et à sa femme des tuniques de peau et les en vêtit.» (3, 21) Comme Dieu avait couvert l'homme et la femme de vêtements, il couvre Caïn d'un signe.

L'éloignement (4, 16 // 3, 23-24)

Conscient d'être «banni» (4, 14), Caïn exécute la sentence: il «s'éloigna de la face de Dieu et habita dans le pays *(eretz)* de Nod, à l'orient d'Éden» (4, 16). Lui qui fut chassé du sol vers la terre *(eretz)* pour y devenir un vagabond *(nad)* (4, 12) vit dans un pays dont le nom est bien choisi, *Nod*[16]. La fin de l'histoire de Caïn rappelle une fois de plus le récit du paradis qui se termine également avec un éloignement et

---

16 H. Jacobson, «The Land of Nod», *Journal of Theological Studies*, 41 (1990), p. 91-92. Nod, selon lui, signifierait «sommeil»; le pays de Nod serait alors «le pays des dormeurs».

avec la mention «à l'orient d'Éden»: «Yahweh Dieu le renvoya du jardin d'Éden pour cultiver le sol d'où il avait été tiré. Il bannit (même verbe en 4, 14) l'homme et il posta des chérubins à l'orient du jardin d'Éden.» (3, 23-24)

Éden, le tout dernier mot du récit de Caïn, ramène le lecteur au récit du paradis et confirme que l'histoire de Caïn doit être lue, comme nous l'avons fait, dans le prolongement du récit du paradis. Dans les deux récits, un état d'harmonie se transforme en un état de rupture d'harmonie. Dans le récit du paradis (Gn 2-3), le renversement provient du refus de l'être humain d'accepter ses limites; l'orgueil mène au refus de Dieu. Ce récit présente ainsi le premier péché de l'humanité, non pas dans un sens chronologique et historique, puisqu'il s'agit d'un récit mythique, mais dans un sens théologique. Rejeter Dieu est vraiment le premier péché puisqu'il va à l'encontre du premier commandement: «Tu aimeras le Seigneur ton Dieu de tout ton cœur, de toute ton âme et de tout ton esprit.» (Mt 22, 34-38, citation de Dt 6, 5) Même si l'être humain fait disparaître Dieu de sa vie en voulant prendre sa place, il reste encore les autres personnes. En se comparant à l'autre, l'être humain découvre à nouveau ses propres limites. La vie favorise l'un plutôt que l'autre, d'où la tentation de vouloir se débarasser du gêneur; la jalousie mène ainsi au rejet de l'autre. Ce rejet est vraiment le deuxième péché dans un sens théologique, péché qui va à l'encontre du second commandement, semblable au premier: «Tu aimeras ton prochain comme toi-même.» (Mt 22, 39-40, citation de Lv 19, 18) Le christianisme a souvent manifesté une prédilection pour le récit de Genèse 2-3, celui de la révolte contre Dieu, dont on a déduit la doctrine du péché originel. Mais il est important de ne pas oublier le récit de Genèse 4, qui illustre le rejet de l'autre et insiste ainsi sur la dimension sociale de l'existence humaine, abondamment soulignée par les prophètes et souvent reprise dans le Nouveau Testament.

Au point de vue littéraire, le parallélisme entre le récit du paradis et celui de Caïn correspond aussi à leur lien au point de vue théologique. Le deuxième crime introduit cependant un crescendo. L'homme et la femme sont bannis du jardin vers le sol *(adamah)* dont ils furent tirés: la fin du récit du paradis (3, 23) renvoie donc à son début (2, 7). Caïn vivant sur ce sol est banni vers la terre *(eretz):* la fin du récit de Caïn (4, 14.16) renvoie donc à la terre, mentionnée au tout début du récit du paradis (2, 5).

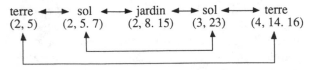

terre   sol   jardin   sol   terre
(2, 5)   (2, 5. 7)   (2, 8. 15)   (3, 23)   (4, 14. 16)

Le premier tableau du récit du paradis décrit l'harmonie dans les trois relations fondamentales que vit l'humanité:

a)   l'être humain est créé pour le sol, qui dépend de lui (2, 4b-7);

b)   l'être humain est appelé à respecter Dieu en acceptant de rester humain (2, 8-17);

c)   l'être humain est supérieur aux animaux et la relation humaine homme – femme est une relation de complémentarité mutuelle (2, 18-24).

Tous les acteurs ont leur place et leur fonction précises. Ces rôles comportent nécessairement des limites; quand elles ne sont plus acceptées, toutes les relations se détériorent, comme l'indique le deuxième tableau du récit du paradis:

c')   l'animal s'oppose à l'être humain et l'homme et la femme sont pris de honte l'un devant l'autre (2, 25-3, 7);

b')   l'être humain a peur devant Dieu (3, 8-21);

a')   travailler le sol devient un labeur pénible (3, 22-24).

Le récit de Caïn reprend ces trois relations, mais l'action de Caïn conduit à des conséquences plus graves encore:

a) même si l'être humain travaille le sol, il ne produit plus rien (4, 12);

b) la peur de Dieu est remplacée par l'absence de Dieu: Caïn est caché loin de sa face (4, 14);

c) la lutte avec les animaux est remplacée par une menace de mort et la honte que l'être humain ressent devant l'autre devient peur d'être tué (4, 14).

Genèse 2 décrit l'harmonie des trois relations dont rêve la personne humaine; Genèse 3 décrit la rupture et Genèse 4 la perte de ces relations. Dans un tel cas, la personne humaine est vraiment devenue une non-personne.

2. Mais le monde continue et progresse

Les généalogies qui suivent montrent que le monde continue malgré la rupture et la disparition de l'harmonie[17]. Comme les chapitres précédents, ces généalogies contiennent des vues théologiques sur l'humanité[18], et non pas des informations sur des personnages historiques. Que feront les générations nouvelles? Elles répèteront ce que les anciennes ont fait, mais elles apporteront aussi du nouveau.

Le progrès de l'humanité (4, 17-26)

L'auteur yahwiste a commencé la généalogie d'Adam et Ève par la naissance de Caïn et d'Abel (4, 1-2). Il l'a inter-

---

17   R.S. Hess, «The Genealogies of Genesis 1-11 and Comparative Literature», *Biblica*, 70 (1989), p. 241-254; R.R. Wilson, *Genealogy and History in the Biblical World* (coll. *Yale Near Eastern Researches*, 7), New Haven, Yale University Press, 1977.

18   K. Friis Plum, «Genealogy and Theology», *Scandinavian Journal of the Old Testament*, 1 (1989), p. 66-92.

rompue par le récit du conflit entre les deux frères; il continue maintenant la généalogie à travers Caïn, donc les
Caïnites (4, 17-24). Caïn, devenu une non-personne mau-
dite, est pourtant béni par la vie.

Avec Caïn et Abel, nous étions déjà en présence de deux
genres de vie, les agriculteurs et les bergers. Caïn chassé du
sol fertile devient maintenant le constructeur d'une ville à
laquelle il donne le nom de son fils Hénok (4, 17). Le nom
éponyme est à rattacher au verbe *hanak*, dédier, et signifie
donc «fondateur» ou «fondation»[19]. Une lecture fondamentaliste et littérale rencontre ici de nouvelles difficultés. D'où
pourrait bien venir la femme de Caïn? Pour qui construire
une ville, car la terre est encore si peu peuplée? Le texte
évoque plutôt le progrès de la civilisation; dans le monde,
certains sont agriculteurs, d'autres, bergers, et d'autres
encore habitent des villes.

Dans les généalogies anciennes, le septième rang joue
souvent un rôle particulier; il en est ainsi pour Lamek, qui
occupe cette position. Sa famille illustre bien le progrès con-
tinu de la civilisation. Son premier fils, Yabal, dont le nom
est relié au verbe *yabal* (conduire), «fut l'ancêtre de ceux
qui vivent sous la tente et ont des troupeaux» (4, 20); il
reprend le métier de feu Abel. Son deuxième fils, Yubal, qui
fait penser à *yobel* (trompette), «fut l'ancêtre de tous ceux
qui jouent de la lyre et du chalumeau» (4, 21); il introduit
l'art dans l'existence humaine. Son troisième fils s'appelle
Tubal-Caïn; Tubal possède une assonance avec les deux premiers noms et Caïn est en rapport avec le fer. «Il fut l'ancêtre de tous les forgerons en cuivre et en fer» (4, 22); il est
l'inventeur de la technologie. Le fer, en effet, a joué un rôle

---

19   Le texte n'est pas très clair; certains auteurs proposent Hénok, et non pas
      Caïn, comme constructeur de la ville; K.D. Schunck, «Henoch und die
      Erste Stadt: Ein textkritische Ueberlegung zu Gen 4, 17», *Henoch*, 1
      (1979), p. 161-165.

capital dans le développement de l'humanité (1 S 13, 20). La seule fille de Caïn se nomme Naama (agréable, aimable; 4, 22). Dans un monde surtout mâle et dans une famille où la haine et la vengeance règnent (4, 23-24), elle apporte une note de fraîcheur et de célébration de la vie. Rien dans le texte ne permet toutefois d'avancer, comme certains l'ont fait, qu'elle devait être un peu trop aimable et pratiquait le plus vieux métier du monde, la prostitution.

L'humanité a accepté l'invitation de Dieu d'emplir et de soumettre la terre (1, 28). Elle est capable d'améliorer le monde; elle est vraiment devenue «comme des êtres divins» (3, 22). L'être humain peut procréer, se nourrir par l'agriculture ou la domestication des animaux, construire des bâtiments, même une ville, pour y vivre, alléger sa vie et son travail par la technique des instruments, exprimer son goût du beau par l'art et conserver en tout cela la chaleur humaine.

Les nouvelles générations apportent du nouveau; pourtant, tout n'est pas positif. Elles répètent aussi l'erreur des générations précédentes qui ne pouvaient pas accepter leurs limites. L'humanité continue à désirer toujours plus. Le Yahwiste, en parlant de l'harmonie dans les relations humaines, écrit: «C'est pourquoi l'homme laisse son père et sa mère et s'attache à sa femme, et ils deviennent une seule chair.» (2, 24) Le rapport homme – femme offre la complémentarité, mais il impose aussi des limites, comme les versions anciennes l'ont explicité en précisant: «les *deux* deviennent une seule chair» (2, 24). Lamek, dont la famille a tant contribué au progrès, ne peut pas accepter cette limite: il «prit deux femmes» (4, 19). Les noms des deux femmes, malgré leur sens incertain, sont significatifs[20]; «la première était Ada» (ornement), la maquillée ou la blonde, et «le nom de la seconde Cilla» (trésor, parure), la brune. La personne

---

20   Pour l'étude des noms de Gn 4, voir J. Gabriel, «Die Kainitengenealogie. Gn 4, 17-24», *Biblica*, 40 (1959), p. 409-427.

qui a éliminé de sa vie Dieu (premier péché de l'humanité, Gn 3) et le prochain (deuxième péché, Gn 4, 1-6) ne peut plus vivre que pour elle-même, pour sa propre satisfaction. L'auteur utilise l'image bien appropriée du plaisir sexuel. Un jour, Lamek prend la blonde; le lendemain, la brune!

La famille de Lamek est devenue plus complexe. Une descendance issue de deux femmes peut causer frictions et jalousies et les inventions de la technologie, au lieu d'être au service du progrès (Is 2, 4), permettent le perfectionnement des armes destructrices. La haine et la vengeance de Lamek ne connaissent ni proportions — «j'ai tué un homme pour une blessure» (4, 23) — ni limites — «C'est que Caïn est vengé sept fois, mais Lamek, soixante-dix-sept fois!» (4, 24; cf. 3, 15) Lamek en est même fier: il invite ses femmes à «écouter sa voix» (4, 23), comme l'homme avait écouté la voix de sa femme (3, 17), au lieu d'écouter la voix de Dieu (2, 16-17; 3, 8. 10). La voix du meurtrier veut être entendue des êtres humains, tandis que la voix de la victime crie vers Dieu pour être écoutée (4, 10). L'humanité peut procréer et ainsi donner la vie, mais elle peut également tuer; en cela aussi elle est semblable aux êtres divins (3, 22).

Le texte revient au premier couple et mentionne, utilisant presque les mêmes termes que pour Caïn (4, 1), la naissance d'un autre fils. La femme l'appelle «Seth», car «Dieu m'a accordé *(shet)* une autre descendance à la place d'Abel, puisque Caïn l'a tué» (4, 25). Seth, la nouvelle «descendance» de la femme (3, 16) et remplaçant d'Abel, sera dorénavant le frère de Caïn et aura sa propre descendance, les *Sethites* (4, 25-26). C'est maintenant le père qui donne le nom: Seth appelle son fils «Énosh», terme plus poétique pour désigner «un être humain», soulignant son aspect fragile. La contribution d'Énosh à l'humanité est tout autre. Même si Caïn et Abel avaient déjà offert un sacrifice à Yahweh (4, 3-4), Énosh est dit «le premier à invoquer le nom de Yahweh», ce qui signifie lui rendre un culte

(Gn 12, 8). Les traditions élohiste et sacerdotale, en adoptant un point de vue historique, lient la révélation du nom de Yahweh à Moïse (Ex 3, 14; 6, 2-3). L'auteur yahwiste, en se plaçant de nouveau au point de vue théologique, affirme que l'humanité (le sens du nom Énosh) connaissait déjà le vrai Dieu. Jusqu'ici, Dieu venait vers l'être humain, maintenant l'être humain va aussi vers Dieu. Même après avoir péché, l'humanité peut faire le bien.

Le texte yahwiste divise l'humanité en deux groupes. Les deux ont la même origine: les deux fils sont un don de Dieu. Pour Caïn, Ève dit: «J'ai procréé (ou acquis) un homme avec Dieu» (4, 1); pour Seth: «Dieu m'a accordé une autre descendance.» (4, 25) Mais dans la vie chacun fait ses propres choix: les Caïnites suivent l'exemple de leur père et optent pour le mal, les Sethites, pour le bien.

La continuité de l'humanité (5, 1-32)

Le texte continue avec la généalogie d'Adam selon la tradition sacerdotale. La comparaison entre les généalogies yahwiste (Gn 4) et sacerdotale (Gn 5) est éclairante[21].

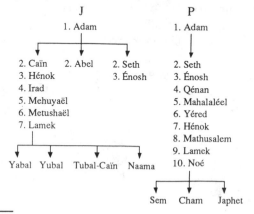

---

21   D.T. Bryan, «A Reevaluation of Gen 4 and 5 in Light of Recent Studies in Genealogical Fluidity», *Zeitschrift für die alttestamentliche Wissenschaft*, 99 (1987), p. 180-188.

Les deux listes contiennent souvent les mêmes noms, parfois des noms très semblables, mais la succession des individus est différente, ce qui confirme que les auteurs de ces textes n'avaient pas nos préoccupations historiques et scientifiques. Le type de généalogie est également différent: la généalogie yahwiste appartient en partie au type segmenté, montrant le lien entre différentes branches de la famille, tandis que la généalogie sacerdotale est de type linéaire, utilisée pour prouver la légitimité de la descendance, pour la succession au trône par exemple. Le texte sacerdotal commence par un rappel du récit de la création: Dieu a créé l'être humain à la ressemblance de Dieu, il l'a créé mâle et femelle et ils les a bénis (5, 1-2 = 1, 26-28)[22]. Dieu leur avait dit: «Soyez féconds et multipliez»; la généalogie l'illustre. Seth, le premier fils qu'Adam engendre, est «à sa ressemblance, comme son image» (5, 3). La généalogie linéaire souligne ainsi que toute l'humanité participe à la même dignité royale.

Le texte, en répétant toujours les mêmes formules, souligne que l'humanité s'accroît à un rythme régulier. Chaque individu est un chaînon dont la vie est caractérisée par trois moments importants: sa naissance, le moment où il engendre à son tour, ce qui implique le mariage, et sa mort. Le texte contient aussi des variables: le nom que portent les personnes et l'âge auquel ils engendrent et meurent. Même si les êtres humains sont identiques, chacun reste unique.

Ces chiffres, employés dans de tels textes non-historiques, ne signifient évidemment pas que la vie humaine connut une durée exceptionnelle à une époque particulière de l'histoire. Au contraire, les progrès de la médecine tendent à augmenter l'espérance de vie. Deux de ces nombres confir-

---

22   On constate une fois de plus la confusion qui entoure le terme *adam*; en
      5, 1b-2, il est mâle et femelle, c'est bien l'être humain qui est à l'image de
      Dieu; en 5, 1a. 3, *adam* est le nom propre.

ment leur caractère symbolique: Hénok, dont on loue la sainteté (5, 22. 24; cf. 6, 9), disparut à l'âge de 365 ans (5, 23), ce qui correspond au nombre de jours dans une année solaire; il a donc vécu une vie pleine. Lamek, pour qui le chiffre 7 était significatif (4, 24), a vécu 777 ans. Le texte samaritain et la traduction grecque de la Septante ne se sentaient pas liés à la valeur mathématiques de ces chiffres, puisqu'ils les ont modifiés pour en donner d'autres significations symboliques[23]. Ces chiffres bibliques sont très modestes si on les compare à ceux de certains textes extra-bibliques qui présentent une succession de rois dont le règne dure des milliers d'années (jusqu'à 72 000 ans)[24]. Tout ceci confirme le caractère symbolique de ces chiffres; toutefois, leur signification nous échappe encore malgré bien des études[25].

Nous pouvons retenir au moins une chose de ces chiffres en les comparant avec d'autres chiffres bibliques. La durée de la vie humaine entre Adam et Noé est de 700 à 1000 ans; celle des personnes entre Noé et Abraham est de 200 à 600 ans (11, 10-26); les patriarches vivent de 100 à 200 ans (Gn 25, 7; 35, 28; 47, 28; 50, 26); notre vie dure de

---

23   Étude comparative des trois textes anciens dans R.W. Klein, «Archaic Chronologies and the Textual History of the Old Testament», *Harvard Theological Review*, 67 (1974), p. 255-263.

24   T.C. Hartman, «Some Thoughts on the Sumerian King List and Genesis 5 and 11B», *Journal of Biblical Literature*, 91 (1972), p. 25-32; G.F. Hasel, «The Genealogies of Gen 5 and 11 and their Alleged Babylonian Background», *Andrews University Seminary Studies*, 16 (1978), p. 361-374.

25   M. Barnouin, «Recherches numériques sur la généalogie de Gen. V», *Revue biblique*, 77 (1970), p. 347-365; D. Grossberg, «Number Harmony and Life Spans in the Bible», *Semitics*, 9 (1984), p. 49-57; D.W. Young, «The Influence of Babylonian Algebra on Longevity Among the Antediluvians», *Zeitschrift für die alttestamentliche Wissenschaft*, 102 (1990), p. 321-335.

70 à 80 ans (Ps 90, 10)[26], et les prophètes annoncent pour les
temps à venir un retour à une vie plus longue (Is 65, 20).
Dans la Bible, une longue vie est signe d'une bénédiction
divine pour une vie exemplaire. Si la durée diminue, c'est
que le mal progresse (6, 3). On constate une diminution pro-
gressive, quoique non régulière, dans la descendance
d'Adam. L'auteur sacerdotal illustre ainsi le progrès du mal
par des chiffres, comme l'auteur yahwiste le faisait par ses
narrations. Le choix du bien ou du mal reste à l'être humain.
Dans cette liste également, le septième personnage ressort:
Hénok, à cause de sa sainteté, a vécu une vie pleine de
365 ans «puis il disparut, car Dieu l'enleva» (5, 24; cf. Élie,
2 R 2, 11). Le texte, ne mentionnant pas sa mort, illustre que
le juste peut échapper à la mort.

L'auteur sacerdotal, en groupant toute l'humanité dans
une généalogie linéaire, refuse, contrairement au Yahwiste,
de diviser le monde entre les bons et les méchants. L'humanité est une; le bien et le mal s'y trouvent mêlés, comme ils
se trouvent en chacun de nous. Les différences de succession
des personnages entre J et P montrent que même un «bon»
père peut avoir un «mauvais» fils, ou l'inverse. Lamek, considéré comme le pire des malfaiteurs, le profiteur sensuel
(4, 19) et d'une cruauté sans précédent (4, 23-24), devient
ici le père de Noé, en hébreu *Noah*, mis en rapport bien lointain avec le verbe *naham,* consoler (dans le texte de la
Septante avec le verbe *nawah,* reposer): «Celui-ci qui nous
apportera, dans notre travail et le labeur de nos mains, une
consolation tirée du sol que Yahweh a maudit.» (5, 29) Ce
verset renvoie à la malédiction du sol après le péché au paradis (3, 17). Il appartient donc à la tradition yahwiste et
devait appartenir primitivement à la lignée des Sethites, les
«bons» de la tradition Yahwiste (4, 25-26). Malédiction et

---

26   P. Zerafa, «The Old Testament Life Span», *Angelicum*, 65 (1988),
     p. 99-116.

consolation sont intimement liées. Noé renferme en lui la promesse d'un nouveau commencement; il reçoit la promesse de Dieu que le sol ne sera plus jamais maudit (8, 21) et il plantera sur ce sol la vigne (9, 20) pour en récolter le vin qui réjouit le cœur humain (Ps 104, 15). Lamek parle de haine (4, 23-24), mais aussi d'espoir (5, 29).

Les textes de Genèse 2-4 décrivent la rupture et la perte des trois relations fondamentales de l'être humain, pourtant ce n'en est pas la fin: a) dans sa relation pénible avec le sol, l'être humain peut compter aussi sur une consolation; b) l'être humain reste toujours à l'image de Dieu et c) il fait toujours partie de la famille humaine universelle.

Une nouvelle rupture (6, 1-4)

L'auteur yahwiste reprend un récit mythologique qui explique l'origine des Nephilim ou des géants (6, 1-4)[27] pour illustrer un autre dépassement de limites. «Les fils de Dieu virent que les filles des hommes étaient belles et ils prirent pour femmes toutes celles qu'il leur plut.» (6, 2) Ces êtres divins ne peuvent pas accepter les limites séparant le monde divin du monde humain. De plus, comme Lamek, ils ne peuvent accepter la limite qu'un homme trouve sa complémentarité dans une femme. Leur action se modèle sur celle d'Ève: «ils virent» comme «elle vit» et «ils prirent» comme «elle prit» (3, 6; cf. aussi Caïn, 4, 8). La beauté de la femme (3, 23) peut amener l'homme à trouver son vis-à-vis en vue de la complémentarité mutuelle (3, 24); cet attrait conduit ici à la recherche d'une satisfaction personnelle unilatérale. «Les fils de Dieu» peuvent franchir les limites parce qu'ils

---

27 D.J.A. Clines, «The Significance of the "Sons of God" Episode (Genesis 6:1-4) in the Context of the "Primeval History" (Genesis 1-11)», *Journal for the Study of the Old Testament*, 13 (1979), p. 33-46. Le même numéro de la revue contient des articles de D.L. Petersen et de L. Eslinger sur ce passage rempli de difficultés.

sont plus puissants. Chaque mythe enseigne une vérité sur la vie humaine. En effet, les puissants du monde, comme le Pharaon (Gn 12, 10-20) ou le roi David (2 S 11), agissent ainsi[28]. Cette fusion des deux mondes engendre l'espoir que l'humanité puisse échapper à la mort et finalement devenir divine. Dieu en décide autrement: «... puisqu'il est chair; sa vie ne sera que de cent vingt ans» (6, 3); l'arbre de vie reste inaccessible (3, 22. 24). Pourtant la vie continue; cette union produit des enfants (6, 4), comme Adam et Ève et Caïn qui, malgré leur faute, ont donné naissance à des enfants.

---

28   W. Vogels, «David's Greatness in His Sin and Repentance», *The Way*, 15 (1975), p. 243-254.

Troisième partie

... jusqu'à la confusion

CHAPITRE VI

Un nouvel ordre mondial (Genèse 6, 5-9, 17)

Après les textes décrivant la désintégration de l'harmonie, le livre de la Genèse présente la réaction de Dieu en rapportant l'histoire bien connue du déluge qui présente la disparition d'un monde et l'apparition d'un nouvel ordre mondial[1].

1. Déluge et déluges

Deux récits en un seul

Le récit du déluge étonne par son manque apparent de logique; il contient une série de doublets qui parfois même se contredisent. À deux reprises, Dieu voit que la terre est remplie de malice (6, 5 et 6, 12); à deux reprises, il annonce à Noé qu'il va envoyer un déluge (6, 13. 17 et 7, 4). Dieu demande à Noé d'emmener dans l'arche de tous les animaux «deux de chaque espèce... un mâle et une femelle» (6, 19);

---

1   L.R. Bailey, *Noah: The Person and the Story in History and Tradition* (coll. *Studies in Personalities of the Old Testament*), Columbia, University of South Carolina, 1989.

un peu plus tard, il lui dit: «De tous les animaux purs, tu prendras sept paires, le mâle et sa femelle; des animaux qui ne sont pas purs, tu prendras un couple, le mâle et sa femelle.» (7, 2) Noé entre dans l'arche (7, 7), la pluie tombe sur la terre pendant quarante jours et quarante nuits (7, 12) et finalement Noé décide d'entrer dans l'arche (7, 13)... mais n'y est-il pas déjà? Ces «contradictions» sont si nombreuses qu'il devient impossible de les harmoniser. Le récit du déluge est donc le texte qui montre le mieux le bien-fondé de la théorie documentaire[2].

Le rédacteur final de la Genèse a, jusqu'à maintenant, présenté séparément les textes parallèles appartenant aux différentes traditions; il présente par exemple le récit de la création (P) puis le récit du paradis (J). Mais arrivé au déluge, il mélange les deux traditions en un seul récit. Les lecteurs des chapitres précédents, maintenant familiers du langage propre aux deux traditions, reconnaîtront sans trop de difficulté ce qui appartient à la tradition yahwiste (6, 5-8; 7, 1-5. 7-10. 12. 16b-17. 22-23; 8, 2b-3a. 6-12. 13b. 20-22) et à la tradition sacerdotale (6, 9-22; 7, 6. 11. 13-16a. 18-21. 24; 8, 1-2a. 3b-5. 13a. 14-19; 9, 1-17).

Le texte dans sa forme finale parle de deux déluges dont la durée est inégale; des différences se retrouvent aussi pour le nombre d'animaux sauvés et bien d'autres aspects. Ce récit ne peut donc pas livrer des informations historiques précises sur *le* déluge. Le texte du déluge est mythique, comme les autres récits bibliques de la préhistoire.

Approche diachronique ou synchronique

Dans le passé, les études de ce passage approchaient le texte de manière diachronique. C'est encore le cas de certaines études récentes. On reconstruit le texte yahwiste et le

---

2   Voir plus haut, p. 16-20.

texte sacerdotal; on cherche le point de vue de chaque tradition et on explique ainsi les «contradictions» du texte[3]. Quelques exemples permettront d'illustrer ces approches.

Pour le Yahwiste, la *cause physique* du déluge est une pluie torrentielle (7, 4. 12); cela est bien compréhensible quand on se rappelle que pour lui la terre était improductive puisqu'il n'y avait pas de pluie (2, 5). Dans une perspective agricole, le problème est qu'il n'y a pas assez de pluie... ou beaucoup trop! Pour l'auteur sacerdotal, l'eau ne vient pas seulement d'en haut, mais aussi d'en bas (7, 11). La séparation des eaux imposée par Dieu au moment de la création (1, 7) ne tient plus. Pour P, le déluge est un retour au chaos primitif (1, 2).

Chaque tradition présente des chiffres différents pour la *durée* du déluge. Malgré l'imprécision et l'obscurité de ces chiffres[4], nous proposons ici une explication possible. Pour J «la pluie tomba pendant quarante jours et quarante nuits» (7, 12). Quarante est un chiffre bien connu dans la Bible pour exprimer le châtiment de Dieu; il correspond à une période de purification (Nb 14, 34; Éz 29, 11-13; Jon 3, 4). On peut aussi déterminer la durée de l'ensemble du déluge selon J: Noé attend 7 jours dans l'arche (7, 10), la pluie tombe pendant 40 jours (7, 12), les eaux se retirent et au bout de 40 jours Noé ouvre la fenêtre (8, 3.6); il attend 7 jours avant d'envoyer la colombe (8, 10), mais elle revient; Noé attend encore 7 jours avant de la renvoyer (8, 12). Ce qui fait en tout 101 jours — 100 jours serait déjà impressionnant, mais le déluge dura un jour de plus. Le chiffre a le même effet que nos mille et une nuits!

---

3 Un bon exemple: G. Lambert, «Il n'y aura plus jamais de déluge (Genèse 9, 11)», *Nouvelle revue théologique*, 77 (1955), p. 581-601 (textes bibliques); p. 693-724 (textes extra-bibliques).

4 La chronologie du déluge est complexe. Voir L.M. Barré, «The Riddle of the Flood Chronology», *Journal for the Study of the Old Testament*, 41 (1988), p. 3-20.

L'auteur sacerdotal, qui aime les chiffres (Gn 1 et Gn 5), a parsemé son récit de calculs très précis. Il est impossible de retrouver la signification de chaque détail, mais on peut calculer la durée de l'événement en comparant le premier et le dernier chiffre. Le déluge commence «en l'an 600 de la vie de Noé, le 2e mois, le 17e jour du mois» (7, 11); il se termine «en l'an 601 de la vie de Noé» (8, 13), «au 2e mois, le 27e jour du mois» (8, 14). Il dure donc 1 an et 11 jours[5]. L'année lunaire comportait 6 mois de 29 jours (= 174 jours) et 6 mois de 30 jours (= 180 jours), soit 354 jours; en y ajoutant les 11 jours, on obtient 365 jours, ce qui correspond à une année solaire (5, 23)[6], chiffre bien adéquat pour cette période de purification.

La différence dans le *nombre d'animaux* introduits dans l'arche s'explique aussi par la visée théologique de chaque auteur. Selon l'auteur yahwiste, Noé prend sept paires d'animaux purs et seulement une paire d'animaux non purs (7, 2). Noé a besoin de plus d'animaux purs pour assurer sa propre nourriture et celle des carnivores et pour offrir un sacrifice à Yahweh après le déluge (8, 20). Il s'assure de cette façon qu'il en reste assez de chaque catégorie, pure et non pure, après le déluge. Pour l'auteur sacerdotal, il suffit que Noé emmène une paire, «deux de chaque espèce... un mâle et une femelle» (6, 19). Selon cet auteur, les êtres humains et les

---

5   Il s'agit bien de 11 jours et non pas de 10, comme on est souvent porté à le croire. Il faut inclure le 17e et le 27e jour.

6   On a aussi proposé que P comptait selon un calendrier solaire de 364 jours (A. Jaubert, «Le calendrier des Jubilés et de la secte de Qumrân. Ses origines bibliques», *Vetus Testamentum*, 3 (1953), p. 250-264; J.C. Vanderkam, «The Origin, Character, and Early History of the 364-Day Calendar: A Reassessment of Jaubert's Hypotheses», *Catholic Biblical Quarterly*, 41 (1979), p. 390-411) ou qu'il comptait une année de 360 jours selon un calendrier administratif (F.C. Cryer, «The Interrelationships of Gen 5, 32; 11, 10-11 and the Chronology of the Flood (Gen 6-9)», *Biblica*, 66 (1985), p. 241-261).

animaux sont toujours végétariens (1, 29-30) et il ne parle pas encore de sacrifices, qui n'apparaîtront qu'avec la loi de Moïse.

L'approche diachronique, étudiant chaque tradition en elle-même, parvient à expliquer les «contradictions» du texte mais ne se préoccupe pas du texte dans sa forme actuelle. Pourquoi le rédacteur a-t-il entremêlé les deux traditions? L'explication pratique nous semble simple. Après le déluge Dieu décide, selon les deux traditions, de ne plus jamais envoyer de déluge. Il était donc impossible pour le rédacteur final, après avoir présenté un récit de déluge, de poursuivre avec le récit de l'autre tradition. Le plus simple aurait été d'en supprimer un, mais le rédacteur a choisi de garder les deux (même si J ne semble pas conservé dans sa totalité) et de les combiner en une seule narration. Mais ce faisant, il a écrit un nouveau texte qu'il croyait certainement lisible, cohérent et porteur d'un sens théologique.

Des études récentes utilisant une approche synchronique montrent l'unité du texte dans sa forme finale[7]. Le rédacteur n'a pas présenté de façon séparée et parallèle le point de vue du yahwiste et celui de l'auteur sacerdotal, mais les a intimement liés. Un exemple suffira pour illustrer l'importance de cette approche. Nous avons vu comment P souligne la transcendance de Dieu (cf. le récit de la création, Gn 1) et J, son immanence (cf. le récit du paradis, Gn 2-3). Dans le récit du déluge, ces deux aspects sont intimement liés. Un Dieu qui envoie un déluge est certainement tout-puissant; pourtant, il se soucie aussi de sa création. Pour notre part, nous tenterons de comprendre le texte dans sa forme finale.

---

7   B.W. Anderson, «From Analysis to Synthesis: The Interpretation of Genesis 1-11», *Journal of Biblical Literature*, 97 (1978), p. 23-39; G.J. Wenham, «The Coherence of the Flood Narrative», *Vetus Testamentum*, 28 (1978), p. 336-348. Ce genre d'études est critiqué par J.A. Emerton, «An Examination of Some Attempts to Defend the Unity of the Flood Narrative in Genesis», *Vetus Testamentum*, 37 (1987), p. 401-420.

Des textes mésopotamiens de déluge

En plus des deux versions bibliques, il existe plusieurs textes mésopotamiens qui parlent d'un déluge: un texte sumérien datant du troisième millénaire; l'épopée de Gilgamesh et l'épopée d'Atrahasis, tous deux connus en version assyrienne et babylonienne; le récit de Bérose, un prêtre babylonien.

Tous ces textes parlent d'un déluge qui détruit tous les êtres vivants mais duquel un héros échappe avec sa famille et un certain nombre d'animaux. Il y a même des ressemblances de détail remarquables. Noé se sert d'oiseaux pour savoir si le déluge est bien terminé et s'il peut sortir de l'arche (8, 6-12); Outnapishtim, le héros de l'épopée de Gilgamesh, utilise la même technique, quoiqu'avec des oiseaux différents[8]. Noé construit un autel pour offrir des holocaustes (8, 20) et Yahweh en respire l'agréable odeur (8, 21); Outnapishtim offre lui aussi un sacrifice et les dieux en hument la bonne odeur. De telles ressemblances posent la question de la dépendance des auteurs bibliques par rapport aux textes extra-bibliques plus anciens.

Malgré les ressemblances, il y a aussi de profondes différences. Le texte biblique reflète une foi monothéiste. Les textes mésopotamiens sont d'inspiration polythéiste: les dieux se disputent et prennent peur quand les eaux montent. Le caractère moral aussi est différent: dans la Bible, la malice humaine est la cause du déluge; dans les textes extra-bibliques, la cause n'est pas toujours claire et varie selon les différents textes. Dans l'épopée d'Atrahasis, par exemple, les dieux sont dérangés par le bruit que font les gens devenus trop nombreux sur la terre. On arrive donc à la même conclusion qu'après avoir comparé J et P: chaque récit de déluge possède sa propre intention théologique.

---

8   Voir plus haut, p. 16 et note 7.

Le déluge et la science

Personne ne doute du caractère mythique des textes extra-bibliques. Ce serait donc travailler avec deux poids, deux mesures que de qualifier le texte biblique d'historique. On peut pourtant poser la question de l'historicité de l'événement du déluge, car les textes mythiques sont souvent basés sur un fait réel d'un passé lointain. Plusieurs sciences nous fournissent des renseignements intéressants pour répondre à cette question.

L'*archéologie* devrait permettre de vérifier s'il y a effectivement eu un déluge[9]. En effet, quand l'eau se retire après une inondation, elle laisse toujours un dépôt de sable. Sir Léonard Woolley, en exécutant des fouilles à Ur, la ville d'Abraham (Gn 11, 28. 31), en 1928-29, trouva une couche argileuse épaisse de 3, 70 à 2, 70 mètres entre les traces de deux civilisations. La civilisation inondée était une «culture mélangée»; après l'inondation, on retrouvait une pure civilisation sumérienne. L'archéologue en conclut que l'inondation datait du milieu du quatrième millénaire et il écrivit: «Un seul agent, un déluge, de proportion sans parallèle dans l'histoire mésopotamienne, a pu déposer une pareille couche d'argile... le déluge de l'histoire et de la légende sumérienne, le déluge sur lequel est fondée l'histoire de Noé.»[10] L'archéologie venait de «prouver» le déluge.

Des fouilles sur d'autres sites, parmi lesquels Kish, Shuruppak, Uruk, Lagash et Ninive, confirmaient l'existence de telles couches d'argile, mais d'épaisseur et d'époques différentes; on a même trouvé, à certains endroits, plusieurs de ces couches. On n'est donc pas en présence d'un seul déluge à un moment précis, mais de plusieurs inondations,

9   A. Parrot, *Déluge et arche de Noé* (coll. *Cahiers d'archéologie biblique*, 1), Neuchâtel, Delachaux et Niestlé, 1955.

10   A. Parrot, *Déluge et arche de Noé*, p. 36.

fréquentes dans la région entre l'Euphrate et le Tigre. Une de ces inondations locales est probablement à l'origine du récit d'un déluge universel. Pour des gens qui n'ont jamais voyagé, leur village est en effet tout leur monde. Les habitants des Pays-Bas sont habitués aux inondations; pourtant, quand ils parlent de «l'inondation», ils se réfèrent à celle de février 1953, pendant laquelle 1700 personnes perdaient la vie et avec eux des milliers d'animaux.

Puisque la Bible dit que l'arche s'est arrêtée «sur les monts d'Ararat» (8, 4), situés en Turquie à la frontière de l'Arménie et de l'Iran, c'est là qu'on s'est mis à la recherche de l'arche et on y a trouvé bien du bois[11]! Mentionnons entre autres l'anglais Lord Bryce (1876), des expéditions russe (1916-17) et américaine (1949), le français F. Navarra (1952, 1953, 1955, 1969) et récemment encore l'astronaute américain James Irwin (1982). En constatant la diversité des nations représentées, on peut se demander si on veut faire de la recherche de l'arche une lutte entre les grandes puissances! Les expéditions de Navarra sont les mieux connues du grand public à cause de la publicité qui les a entourées[12]. Cependant, d'après les méthodes scientifiques de datation au carbone 14, les échantillons de bois trouvés par Navarra dateraient du 7ᵉ ou 8ᵉ siècle après Jésus Christ. Ces nouvelles méthodes contredisent les conclusions précédentes qui proposaient une date ancienne[13].

---

11   On a appelé ces chercheurs de l'arche des «arche-ologistes» (en anglais: les «arkeologists» ne sont pas des «archeologists»).

12   F. Navarra, *J'ai trouvé l'arche de Noé*, Paris, France-Empire, 1956; Id. (édité avec D. Balsiger), *Noah's Ark: I Touched It*, Plainfield (N.J.), Logos International, 1974 (ce volume contient aussi des informations sur sa dernière expédition).

13   L.R. Bailey, «Wood from "Mount Ararat": Noah's Ark?», *Biblical Archeologist*, 40 (1977), p. 137-146.

La *géologie* est une autre science qu'on invoque parfois pour prouver l'historicité du déluge. Elle montre qu'il y a eu dans les périodes antiques plusieurs inondations massives des continents. Rien ne prouve cependant qu'à un moment donné de l'histoire toute la surface de la terre fut inondée[14]; de plus, ces grands bouleversements ont eu lieu avant l'apparition de l'humanité.

Finalement, l'*histoire des religions*, l'ethnologie et l'anthropologie, donnent leur éclairage sur le problème du déluge. Plusieurs peuples sur les cinq continents racontent des histoires de déluge. On a compté jusqu'à 302 récits[15], qui parlent tous d'un déluge auquel une ou plusieurs personnes ont échappé. Ces récits développent parfois les mêmes motifs, comme le recours à des oiseaux pour vérifier si le déluge est terminé. Ils sont aussi très différents sur des points importants. L'existence de récits provenant de cultures si différentes ne s'explique, selon certains auteurs, que par le souvenir primitif commun d'une expérience cosmique universelle. Il est beaucoup plus probable que le déluge appartienne au fonds culturel universel, parce qu'il correspond à l'expérience commune de toute l'humanité, qui se sait en danger de destruction mais en même temps est consciente de sa permanence. Un avion s'écrase; un homme échappe pourtant à la mort. Survient un tremblement de terre terrible, mais sous des décombres on retrouve, après plusieurs jours, une seule survivante. Des récits très divers parlent tous d'un déluge parce que dans toutes les cultures l'eau est le plus puissant symbole du chaos. L'expérience d'inondations locales et aussi la peur que chacun a de se noyer

14   D.A. Young, «Scripture in the Hands of Geologists», *Westminster Theological Journal*, 49 (1980), p. 1-34, 257-304.

15   L.R. Bailey, *Noah: The Person and the Story in History and Tradition*, p. 6; A. Dundes (éd.), *The Flood Myth*, Berkeley/Los Angeles, University of California Press, 1988.

sont, selon beaucoup d'anthropologues, les facteurs qui
expliquent l'existence de récits de déluge dans de nombreuses cultures. Cette peur explique peut-être pourquoi le récit
du déluge continue à tant nous intriguer. Nous utilisons le
mot «cataclysme», d'origine grecque, pour parler d'une
grande catastrophe; mais son premier sens est «déluge»[16].

Tout ce que nous venons de dire montre bien que l'intérêt du récit du déluge ne porte pas sur la réalité historique du
déluge, mais sur son sens théologique.

2. Un retour au chaos et un nouvel ordre mondial

Le récit du déluge, indiquant par sa longueur une profonde coupure entre deux mondes, est composé de deux
tableaux et d'un point tournant entre les deux. Le premier
tableau (a-b-c), divisé en trois sections, décrit la disparition
de l'ordre ancien; le deuxième (c'-b'-a'), qui comprend lui
aussi trois parties disposées en chiasme par rapport au premier, décrit l'apparition du nouvel ordre mondial.

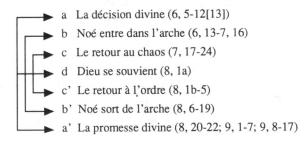

        a   La décision divine (6, 5-12[13])
        b   Noé entre dans l'arche (6, 13-7, 16)
        c   Le retour au chaos (7, 17-24)
        d   Dieu se souvient (8, 1a)
        c' Le retour à l'ordre (8, 1b-5)
        b' Noé sort de l'arche (8, 6-19)
        a' La promesse divine (8, 20-22; 9, 1-7; 9, 8-17)

---

16   Une expression flamande rend bien cette idée, *het hoofd boven water hou-
     den* (garder la tête au-dessus de l'eau).

La décision divine (6, 5-12[13])[17]

Le texte s'ouvre par la déception de Dieu (cf. Jr 3, 19-20). Il avait rêvé d'un monde en harmonie (Gn 1-2), mais cette harmonie est brisée et continue à se désintégrer (Gn 3-6, 4). Dieu «vit» (6, 5. 12) «la méchanceté» (6, 5), «le mal» (6, 5), «la corruption» (6, 11. 12 [2 fois]), «la violence» (6, 11. 13). On est loin du temps de la création quand Dieu, après chaque œuvre, «vit que cela était bon» (1, 4. 10. 12. 18. 21. 25). Le mal a pris des proportions gigantesques: il est «grand» (6, 5), «à longueur de journée» (6, 5), «remplit» la terre (6, 11), «tout» (6, 12. 13). Le texte ne décrit pas une accumulation de fautes individuelles commises par orgueil comme Adam et Ève, par jalousie comme Caïn, ou par sensualité comme Lamek et les fils de Dieu. Il expose la corruption fondamentale d'une société humaine qui a perdu tout sens moral. À la fin de la création, «Dieu vit tout ce qu'il avait fait: cela était très bon» (1, 31); maintenant, il voit que tout est très mauvais.

Ce que Dieu voit le pousse à agir: il «dit: "Je vais..."» (6, 7. 13). Le texte souligne, comme le font les prophètes, le lien entre l'agir humain et le châtiment divin (cf. le «car», 6, 13). Quand Dieu, après la création de l'être humain, avait réalisé qu'«il n'est pas bon» (2, 18), il avait amélioré son œuvre. Pour ce qu'il voit maintenant, il n'y a plus d'espoir d'amélioration. Il n'existe qu'une solution, tout détruire pour recommencer à neuf: «Je vais effacer de la surface du sol *(adamah)* l'humanité *(adam)*» (6, 7; cf. 7, 4. 23 [2 fois]). Le verbe «effacer» est utilisé dans la Bible pour décrire la destruction complète de personnes (Dt 9, 14) ou du péché (Ps 51, 1. 9). Ici il s'agit bien de la destruction de l'humanité

---

17   Le verset 6, 13 appartient, quant au contenu, à la décision divine, quant à la structure, à la section suivante puisque le verset fait partie de la parole que Dieu adresse à Noé.

et du péché: «Je vais les faire disparaître *(shahat)* de la terre...» (6, 13. 17) Le même verbe *shahat* est utilisé pour dire que tout se «corrompit» (6, 11. 12). La perversion de l'humanité est en effet sa propre destruction. L'histoire de l'humanité le confirme: des sociétés qui ont perdu tout sens moral, qui disent «après moi le déluge», sont condamnées à disparaître pour céder leur place à d'autres. Le texte souligne que l'agir humain a des répercussions sur les autres êtres vivants, sur les animaux, sur la terre entière et que par conséquent tout doit disparaître pour faire place à une terre nouvelle et à un monde nouveau.

Entre la constatation que Dieu fait de l'étendue du mal («il vit») et sa résolution d'agir («il dit»), le texte nous dit ce qui se passe dans le cœur de Dieu: «Yahweh se repentit d'avoir fait l'homme sur la terre et il s'affligea dans son cœur.» (6, 5) Après l'annonce du châtiment, le texte repète: «Car je me repens de les avoir faits.» (6, 7) Le Dieu qui punit n'est pas un Dieu vengeur, mais un parent désespéré. Les parents ont des rêves, des attentes face à leurs enfants, mais ils rencontrent des déceptions. Que faire? Le mal ne peut pas être toléré, mais il s'agit de leur propre enfant. Dieu lutte avec de tels sentiments; il «regrette» (1 S 15, 11) ce qu'il a fait, sa propre création, et ce qu'il se propose de faire et qu'il voit comme la seule solution possible l'«afflige». Le terme utilisé pour indiquer cette peine de Dieu est également celui qui décrit la peine de la femme qui enfante (3, 16) et la peine de l'homme dans son travail (3, 17), celle dont Noé délivrera l'humanité (5, 29). Le contraste est remarquable entre «le cœur [humain] ne formait que de mauvais desseins à longueur de journée» (6, 5), tandis que Dieu «s'affligea dans son cœur» (6, 6). Le texte présente un cœur-à-cœur. Il serait faux de vouloir escamoter la richesse de ces expressions en les qualifiant d'anthropomorphismes. Le texte décrit véritablement la souffrance de Dieu. Comme Dieu pense et veut, il a aussi des sentiments. Dieu, en créant un être humain libre, a pris sur lui le risque que l'être humain puisse refuser et ainsi le blesser (Os 11, 8-9)[18].

Pourtant, même dans le pire des mondes, il y a toujours des exceptions: «Mais Noé...» (6, 8) Dieu «voit» aussi cela: «Je t'ai vu seul juste à mes yeux parmi cette génération» (7, 1); «Noé, un homme juste, intègre parmi ses contemporains, et il marchait avec Dieu.» (6, 9) Il ne marche pas dans la voie de cette société qui a perdu tout sens moral; il va seul à contre-courant, il marche avec Dieu (cf. 5, 22. 24). La fidélité est possible dans un monde corrompu. La corruption mène à la destruction; la justice, à la grâce et au salut: «Noé avait trouvé grâce aux yeux de Yahweh» (6, 8; ce lien aussi est indiqué par «car», 7, 1)[19].

Noé entre dans l'arche (6, 13-7, 16)

Dans le récit du déluge, Dieu est le seul à parler; il révèle et commande, mais personne ne lui répond. C'est à Noé, et non aux coupables comme le font les prophètes, que Dieu révèle sa décision de détruire la terre (6, 13). Il lui commande de fabriquer une arche: «Fais-toi une arche...» (6, 14); «Tu la feras...» (6, 15. 16 [2 fois]). Dieu révèle une deuxième fois le désastre à venir. Il ajoute que Noé sera sauvé en utilisant pour la première fois les deux notions centrales, «le déluge» et «l'alliance» (6, 17-18a). Il précise ensuite à Noé ce qu'il devra emmener dans l'arche (6, 18b-21). La révélation montre le bien-fondé des ordres

---

18   E. Jacob, «Le Dieu souffrant, un thème théologique vétéro-testamentaire», *Zeitschrift für die alttestamentliche Wissenschaft*, 95 (1983), p. 1-8; W. Vogels, «Een kwetsbare God: God en de zonde in de Bijbel», *Sacerdos*, 54 (1987), p. 115-129.

19   Certains auteurs affirment que Noé n'est pas sauvé parce qu'il est juste, mais parce qu'il est choisi par Dieu (6, 8); cette prédilection de Dieu le rend juste. En obéissant à l'ordre divin de construire l'arche, Noé a prouvé sa justice; Dieu le sauve alors en l'invitant à entrer dans l'arche (7, 1). Pour cette discussion, voir W.M. Clark, «The Righteousness of Noah», *Vetus Testamentum*, 21 (1971), p. 261-280.

divins; le juste n'a rien à répondre, il n'a qu'à obéir: «Noé agit ainsi; tout ce que Dieu lui avait commandé, il le fit.» (6, 22) Un tel être humain peut être sauvé. Dieu lui ordonne d'entrer: «Entre dans l'arche» (7, 1); une fois de plus le juste exécute, «Noé... entra» (7, 7. 13), «comme Dieu le lui avait ordonné» (7, 5. 9. 16). Le texte spécifie que Noé entre «ce jour-là» (7, 13), qui est «ce jour-là» (7, 11) où le déluge commence. Destruction et salut commencent le même jour. La parole de Dieu est donc successivement révélation et loi. La personne juste répond à la révélation, même de ce qui semble incroyable, par la foi et à la loi par l'exécution exprimant son obéissance. Mais Dieu fait plus que parler, il agit: «Et Yahweh ferma la porte sur Noé.» (7, 16) Il veut s'assurer que Noé est en sécurité. Comme Dieu crée par sa parole, «il dit», et par son action, «il fit» (Gn 1), il sauve également par sa parole et son action.

Dieu ordonne à Noé: «Fais-toi une arche...» et il spécifie le matériel à utiliser, les dimensions et le plan (6, 14-16). Le mot traduit par «arche» revient dans la Bible uniquement pour désigner la corbeille flottante qui assurera le salut de Moïse (Ex 2, 3. 5). Les dimensions en sont un peu différentes, «300 coudées (156 m) pour la longueur, 50 coudées (26 m) pour sa largeur, 30 coudées (15, 5 m) pour sa hauteur». Ce qui correspond, selon les experts en construction navale, à un bateau de 43 000 tonnes! Dans certains récits de déluge, le héros échappe aux eaux en grimpant sur un arbre ou sur une haute montagne, dans d'autres, en se réfugiant sur un bateau. Noé se sauve dans un immense vaisseau aux dimensions d'un paquebot transatlantique qu'il a construit de ses propres mains. L'humanité continue sa conquête de l'univers; la culture progresse. Dieu avait créé au sixième jour les animaux terrestres et l'humanité (1, 24-31), habitants de la terre fertile, l'espace créé au troisième jour (1, 9-13). Sur cette terre, les êtres humains vivent comme agriculteurs, comme pasteurs ou en ville; ils ont inventé la

technologie et l'art (4, 1-24). L'humanité se montre maintenant capable de survivre sur l'eau, l'espace destiné aux poissons. Bien des siècles plus tard, elle trouvera le moyen de
voler, de pénétrer le ciel, l'espace destiné aux oiseaux. Elle
parviendra dans nos temps modernes à pénétrer même dans
le domaine des grands luminaires et de marcher sur la lune,
le petit luminaire, puissance de la nuit (Gn 1).

Dieu précise également ce que Noé doit emmener dans
l'arche. L'être humain tel que créé par Dieu n'est humain
que relationnel (Gn 2-3). Noé, qui a gardé vivante sa relation
avec Dieu, ne peut être sauvé seul. Dieu spécifie d'abord les
humains (6, 18); l'être humain vit toujours en relation avec
d'autres humains, la relation homme – femme (2, 21-24) et
la relation parent – enfant (4, 1-2). Le texte parle de «ta
femme» (6, 18), des trois fils et de leurs «trois femmes»
(7, 13), suggérant ainsi un lien monogamique (2, 24), contrairement au comportement de Lamek (4, 19) et des fils de
Dieu (6, 2). C'est en famille, pas simplement comme individu, que l'être humain est sauvé. La famille comportant au
moins deux générations, la nouvelle humanité ne sera pas le
fruit de l'inceste (Gn 19, 30-38). Dieu énumère ensuite des
animaux (6, 19-20) avec lesquels l'être humain vit une relation particulière (1, 26. 28; 2, 19-20). Le texte, reprenant les
détails du récit de la création, parle des différentes espèces
des diverses catégories, les oiseaux (1, 20), les bestiaux et
bestioles (1, 24-25) et spécifie, comme pour les humains,
qu'il faut un mâle et une femelle de chaque espèce pour
assurer la procréation (1, 22). La catégorie des poissons est
omise; celle-ci sait en effet comment survivre dans les eaux
du déluge! La même énumération détaillée des humains et
des animaux revient quand Noé entre dans l'arche
(7, 13-16), quand tout périt (7, 21-23) et quand Noé sort de
l'arche (8, 15-19). Les animaux, qui comme l'être humain
possèdent la vie, périssent et sont sauvés ensemble avec lui.
Ce qui est entré dans l'arche en sort. Dieu voulait commen-

cer à neuf, mais ce monde nouveau sera dans le prolongement de l'ancien, qui était très bon mais qui avait été
perverti. Il y aura du vieux et du nouveau, continuité et
renouvellement. Dieu demande aussi à Noé de prendre de la
nourriture pour assurer la survie des humains et des animaux (6, 21), comme Dieu avait déterminé leur diète au
moment de la création (1, 29-30; 2, 16-17).

Le retour au chaos (7, 17-24)

Le jour du déluge «jaillirent toutes les sources du grand
abîme et les écluses du ciel s'ouvrirent» (7, 11); le firmament placé par Dieu pour séparer les eaux d'en haut et les
eaux d'en bas (1, 6-7) éclate. «Les eaux grossirent...»
(7, 17. 18), «les eaux montèrent...» (7, 18. 19. 20. 24), à tel
point que toute la terre et même les plus hautes montagnes
furent «couvertes» (7, 19. 20), détruisant ainsi la terre ferme
que Dieu avait fait apparaître en amassant les eaux (1, 9).
Tous les espaces distincts sont confondus et, par conséquent,
tous les êtres qui les habitent sont «effacés» (7, 22-23): les
oiseaux qui volent au firmament (1, 20) et les bêtes, bestioles et êtres humains qui vivent sur la surface du sol
(1, 24-26). Le déluge est la destruction de l'ordre et un
retour au chaos primitif existant avant l'action créatrice de
Dieu (1, 2), un monde improductif et sans vie.

Ces mêmes eaux, par ailleurs, «soulevèrent l'arche, qui
fut élevée au-dessus de la terre» (7, 17). La construction de
Noé est bien faite: elle passe l'épreuve, elle ne coule pas et
lui permet de s'élever au-dessus de la destruction. «Il ne
resta que Noé et ce qui était avec lui dans l'arche.» (7, 23)
Comme Noé était seul, juste dans une société pervertie
(6, 9), il se trouve maintenant seul devant le chaos, la mort,
le néant.

La description de la destruction est remarquable de
sobriété: aucun commentaire, aucun dialogue, aucun détail

sur le nombre des victimes, sur leurs cris de peur et d'agonie. Tout est silence. Le texte omet tout ce qui intéresserait le journaliste. Cela contraste avec la longueur de la section précédente sur Noé et l'arche (6, 13-7, 16) où les détails et les précisions abondent. Le récit du déluge s'intéresse manifestement plus à la préservation de la vie qu'à sa destruction.

Dieu se souvient (8, 1a)

Au centre du récit réapparaît Dieu: il «se souvint de Noé et de toutes les bêtes...» L'humanité a fait l'expérience du silence de Dieu, de la nuit obscure quand les ténèbres repoussent la lumière, du sentiment d'oubli (Ps 10, 11; 13, 1). Le verbe «se souvenir» implique un mouvement qui part de l'intérieur et qui se manifeste à l'extérieur par l'action. Quand l'être humain se souvient de la loi, il l'observe (Ex 20, 8); quand Dieu se souvient d'une promesse, il intervient (Ex 2, 24). Dieu se rappelle sa promesse d'établir une alliance avec Noé (6, 18). Le point tournant du déluge se situe dans le cœur de Dieu.

Le retour à l'ordre (8, 1b-5)

De ce chaos, Dieu va faire surgir l'ordre comme il l'avait fait au moment de la création. «Dieu fit passer un vent (*ruah*) sur la terre et les eaux désenflèrent» (8, 1b), comme le vent «tournoyait sur les eaux» au début de la création (1, 2). «Les sources de l'abîme et les écluses du ciel furent fermées» (8, 2); les eaux retrouvent leur limites (1, 6-7) et «les eaux se retirèrent» (8, 3) et «baissèrent» (8 3.5) jusqu'au moment où «apparurent les sommets des montagnes» (8, 5), comme la terre ferme apparaissait à la création quand les eaux furent amassées en une seule masse (1, 9). Le mouvement du texte est parallèle à celui du récit de la création et à l'opposé de la section décrivant le retour au chaos (7, 17-24). La terre ferme n'est pas encore apparue,

l'arche sert de lieu ferme: «L'arche s'arrêta sur les monts
Ararat.» (8, 4)

Noé sort de l'arche (8, 6-19)

Le premier tableau donne de nombreux détails sur Noé
entrant dans l'arche, mais peu sur la montée des eaux; ainsi,
le deuxième tableau est très bref sur la descente des eaux,
mais s'attarde longuement sur Noé sortant de l'arche.

Noé, qui a utilisé ses talents pour construire un vaisseau,
continue à montrer l'ingéniosité de l'esprit humain. L'être
humain, créé à l'image de Dieu, a reçu l'autorité sur les animaux (1, 26.28; 2, 19-20); il les met maintenant à son service. L'être humain peut apprendre beaucoup de la simple
observation du comportement des animaux (Pr 6, 6-8); il
peut faire un pas de plus et les utiliser à son service, comme
le chien guidant l'aveugle. Noé utilise les oiseaux pour «*voir*
si les eaux avaient diminué à la surface du sol» (8, 8). Par la
colombe, il «*connut* que les eaux avaient diminué à la surface de la terre» (8, 11); il sait maintenant qu'il peut agir.
Utiliser les animaux à son service implique qu'on en prenne
soin. Quand la colombe, ne trouvant pas d'endroit où poser
ses pattes, revint vers lui, Noé «étendit la main, la prit et la
fit rentrer auprès de lui dans l'arche» (8, 9). L'animal revient
vers l'être humain, et lui le reprend chez lui. Homme et animal restent intimement liés.

Noé réalise que le moment de sortir est arrivé quand la
colombe revient avec «dans le bec un rameau tout frais
d'olivier» (8, 11) et quand il voit que la terre est sèche
(8, 13. 14). La terre ferme et la végétation sont réapparues,
les deux œuvres de Dieu au troisième jour de la création
(1, 9-13). Ceci a lieu «en l'an 601 de la vie de Noé, au premier mois, le premier du mois» (8, 13). Le monde nouveau
commencera le premier jour de l'an, comme la première
œuvre de la création avait fixé «le premier jour» (1, 3-5). Au
nouvel an, on se souhaite une «bonne et heureuse année»; on

espère que la nouvelle année apportera le bonheur et la réalisation de tous ses désirs. Qu'apportera cette nouvelle phase de l'humanité?

Le temps recommence à compter et tous les espaces sont remis en place; la vie peut reprendre. L'être humain, qui a montré sa domination sur les animaux, sait qu'il peut sortir, mais le texte rappelle qu'il demeure sous l'autorité divine. Dieu dit à Noé: «Sors de l'arche, toi et ta femme, tes fils et les femmes de tes fils avec toi. Tous les animaux... qu'ils pullulent sur la terre, qu'ils soient féconds et se multiplient sur la terre.» (8, 15-17) Noé ne peut pas rester dans la sécurité de l'arche; il n'est pas enlevé dans le monde divin comme Hénok (5, 24) et Outnapishtim, le héros de l'épopée de Gilgamesh. Il doit rentrer dans le monde en vue de la reprise de la vie, pour l'humain et pour l'animal fruit d'une bénédiction divine (1, 22. 28). «Noé sortit...» (8, 18-19); il exécute l'ordre, comme il était entré, obéissant à Dieu (7, 1. 7. 13-16). Le texte répète la liste détaillée de toutes les catégories et espèces d'animaux. La continuité avec le premier monde, qui était «très bon» (1, 31), est assurée.

La promesse divine (8, 20-22; 9, 1-7; 9, 8-17)

L'humanité a fait l'expérience de son premier exode. Que fera-t-elle de sa liberté retrouvée sur cette terre nouvelle en cette nouvelle année? «Noé construisit un autel à Yahweh... et offrit des holocaustes.» (8, 20) Dieu ne lui donne aucun ordre, comme il l'avait fait souvent dans l'histoire du déluge. Noé prend l'initiative. Il devient le premier être humain à construire un autel et le premier du monde nouveau à offrir un sacrifice, comme Caïn l'avait été dans le premier monde (4, 3), suivi d'Abel (4, 4) et d'Énosh (4, 26). L'être sauvé exprime sa gratitude à son sauveur. L'être humain reconnaît que malgré toute son ingéniosité, il ne peut se sauver sans Dieu. Les limites entre l'être humain et Dieu sont réaffirmées.

Dieu répond par une promesse (8, 21-22) qui contraste avec sa décision d'envoyer le déluge (6, 5-12). «Yahweh... se dit en lui-même (littéralement «dans son cœur»): "Je ne maudirai plus jamais la terre à cause de l'être humain, parce que (ou «même si») les desseins du cœur de l'être humain sont mauvais dès son enfance."» (8, 21) On revient au cœur-à-cœur du début (6, 5-6). Les parents désespérés qui ont sévèrement puni leur enfant se demandent si la punition n'a pas été disproportionnée. Le châtiment a fait plus de tort à eux qu'à l'enfant, qui restera ce qu'il est. Ils réalisent qu'ils doivent cesser de rêver d'un enfant parfait, mais l'accepter tel qu'il est. De la même façon, après une guerre qui devait instaurer un nouvel ordre mondial, on se demande ce qu'elle a réglé. Le tort moral qu'elle a causé au vainqueur est aussi grand que le tort physique causé au vaincu. Dieu, qui regrettait d'avoir créé l'humanité, regrette maintenant de l'avoir détruite et dans les deux cas pour la même raison: le cœur de l'être humain n'est pas parfait. Dieu avait rêvé d'une humanité modèle; dorénavant, il l'accepte telle qu'elle est (Mt 5, 45). Le régime de la rétribution, péché – punition, est remplacé par le régime de la grâce. Le déluge a appris plus à Dieu qu'à l'humanité, comme le prouvera la suite du récit.

À la formulation négative de la promesse, «plus jamais» de «malédiction» de la terre (8, 21; cf. 3, 17; 4, 11-12), correspond la formulation positive, qui en est la preuve: «tant que durera la terre», la régularité de la nature «ne cessera pas» (8, 22). Le temps biblique n'est pas seulement linéaire, mais aussi cyclique.

Dieu poursuit par une bénédiction (9, 1-7) reprenant la mission initiale de l'être humain (1, 28-31). Pourtant le nouveau monde n'est plus un paradis, mais un monde plein de violence et de peur. Le «dominez» sur les animaux (1, 26. 28) devient «soyez la crainte et l'effroi» (9, 2). L'être humain, au lieu d'être végétarien (1, 29-30), peut manger la viande et donc tuer l'animal (9, 3). Dieu accepte une humanité et un monde imparfaits, mais il impose deux restrictions à la violence, car la vie appartient à Dieu. Premièrement, «toutefois...», l'être humain n'a pas le droit de manger le sang de l'animal, car le sang est le signe de la vie (9, 5); deuxièmement, «toutefois...», l'animal ou l'être humain qui tue un autre être humain, comme Caïn (4, 8) et Lamek (4, 23-24) l'avaient fait, en sera responsable devant Dieu: «J'en demanderai compte» (9, 5 [3 fois]). Dieu spécifie ce qui arrivera au meurtrier: «Qui verse le sang de l'être humain, par l'être humain son sang sera versé.» (9, 6a) Le verset ne semble pas être une formulation légale (Ex 21, 12) par laquelle on pourrait justifier la peine capitale, mais plutôt une formulation proverbiale (Pr 21, 13; Mt 26, 52) exprimant que la violence suscite d'autre violence, comme on l'observe partout (4, 15. 23-24). Qui tue un être humain blesse Dieu puisque l'être humain, même avec son cœur imparfait (8, 21), est «à l'image de Dieu» (9, 6b; cf. 1, 26-27). La bénédiction se termine par une reprise des premières paroles (inclusion, 9, 7 = 9, 1).

Finalement, après une promesse (8, 21-22) et une bénédiction (9, 1-7), Dieu s'engage par une alliance à maintenir ce nouvel ordre mondial (9, 8-17, avec une autre inclusion, 9, 8 = 9, 17)[20]. Cette «alliance» (répété 7 fois: 9, 9. 11. 12. 13. 15. 16. 17; cf. 6, 18) est universelle car elle concerne «tout» (le mot revient constamment) ce qui a vie, les humains et les animaux (9, 9. 10. 12. 13. 15. 16. 17), même la terre entière (9, 13). Elle est «éternelle» (9, 16), pour toutes «les générations à venir» (9, 9. 12), et elle comporte «qu'il n'y aura plus jamais de déluge pour ravager la terre» (9, 11. 15; cf. 8, 21). Dieu offre comme signe de son alliance «l'arc dans la nuée» (9, 12-16). Le mot «arc» réfère norma-

---

20   W. Vogels, *God's Universal Covenant: A Biblical Study*, 2ᵉ éd., Ottawa, University of Ottawa Press, 1986, p. 28-30; C. Lejeune, «Réflexions sur l'"Alliance cosmique"», *Positions Luthériennes*, 30 (1982), p. 13-28.

lement à une arme (Gn 27, 3). Même si Dieu est parfois
représenté comme un guerrier qui tire ses flèches (les
éclairs, Ps 18, 15), l'arc désigne ici l'arc-en-ciel (Éz 1, 28)[21],
qu'on voit apparaître à l'horizon après un orage. Après la
création, Dieu se reposa (2, 2); après le déluge, il pose l'arc-
en-ciel pour ne plus jamais oublier son alliance: «Je me sou-
viendrai...» (9, 15. 16) Il se souviendra de l'humanité
comme il s'était souvenu de Noé (8, 1). Indirectement, cet
arc-en-ciel sert aussi à l'humanité pour qui il est une assu-
rance de la miséricorde de Dieu et peut-être aussi une invitation à ne pas faire ce dont elle est devenue capable, détruire
le monde entier[22].

---

21   C. Ochs, «Noah's Flood and Ezekiel's Rainbow», *Studies in Formative
     Spirituality*, 12 (1991), p. 149-158.

22   R. Bauckham, «The Genesis Flood and the Nuclear Holocaust: A
     Hermeneutical Reflection», *Churchman*, 99 (1985), p. 146-155.

CHAPITRE VII

La rupture et la désintégration du nouvel ordre mondial (Genèse 9, 18-11, 32)

L'humanité a eu une nouvelle chance, mais comme nous le verrons, elle n'a pas su en tirer profit. Les textes qui suivent le récit du déluge décrivent la rupture et la désintégration du nouvel ordre mondial; l'humanité reprend le comportement qu'elle avait avant le déluge (4, 1-6, 4). Le déluge a changé le cœur de Dieu, mais pas le cœur de l'être humain. On dirait que chaque individu doit vivre ses propres expériences heureuses et malheureuses.

1. Une nouvelle rupture (9, 18-29)

La vie continue après le péché d'Adam et Ève (4, 1-2), celui de Caïn (4, 17), celui de Lamek (4, 20-22) et celui des fils de Dieu (6, 4); de même, la fin du récit du déluge affirme avec insistance que la vie doit reprendre sur la terre (8, 17; 9, 1. 7). Ce moment est venu, «les fils de Noé qui sortirent de l'arche» vont assurer la permanence de l'humanité: «À partir d'eux se fit le peuplement de la terre.» (9, 18-19) Le texte, avant de décrire tous ces peuples

(10, 1-32), raconte une histoire de famille (9, 20-27)[1] qui eut lieu avant la mort de Noé (9, 28-29: P).

Ce court passage qui décrit l'ivresse de Noé et le comportement des trois fils vis-à-vis de leur père pose plusieurs difficultés. On s'interroge sur l'identité de celui qui a commis le crime. Le texte affirme que «Cham, père de Canaan» vit la nudité de son père (9, 22), mais «Canaan» et non pas «Cham» est maudit (9, 25). Dans cette péricope, Cham est appelé le «fils le plus jeune» (9, 24) mais, dans d'autres textes, il apparaît toujours comme le deuxième (5, 32; 6, 10; 7, 13; 9, 18; 10, 1). Une solution propose que les trois fils de Noé dans le récit original de l'enivrement étaient Sem, Japhet et Canaan et que Canaan aurait commis le crime. L'auteur yahwiste, en reprenant cette histoire ancienne, aurait tenté de l'harmoniser avec la tradition commune en ajoutant «Cham est le père de Canaan» (9, 18) et «Cham, père de...» (9, 22) Le vieux récit aurait été un récit tribal; Sem, le bon, représenterait les Israélites (qui sont des Sémites); Japhet, qui «habite dans les tentes de Sem» (9, 27), évoquerait les Philistins qui occupaient la bande côtière de la terre promise; et Canaan, «l'esclave» des deux autres (9, 25-27), représenterait les Cananéens dont la terre fut conquise par les deux autres peuples.

La nature du crime de Cham (Canaan) pose un autre problème. Plusieurs auteurs croient que le texte tait ce qui s'est vraiment passé dans la tente de Noé. «Lorsque Noé se réveilla de son vin et sut ce que lui avait *fait* son fils le plus jeune» (9, 24). Noé réalise que Cham a «fait» quelque chose. Or, tout ce que le texte dit sur le crime de Cham, c'est que «Cham, père de Canaan, *vit* la nudité de son père et il en

---

1   H.H. Cohen, *The Drunkenness of Noah* (coll. *Judaic Studies*, 4), The University of Alabama Press, 1974; W. Vogels, «Cham découvre les limites de son père Noé (Gn 9, 20-27)», *Nouvelle revue théologique*, 109 (1987), p. 554-573, avec abondante bibliographie.

informa ses deux frères au-dehors» (9, 22). Selon ces auteurs, «voir» et «informer» ne sont pas un «faire». Ils estiment aussi que la malédiction sévère prononcée par Noé est démesurée par rapport au crime d'un simple «voir» (9, 25). Ce «voir» doit être un euphémisme: le texte veut cacher un scandale qui s'est produit dans la famille de Noé, qui est après tout le seul juste. Les hypothèses sont nombreuses et, comme il est question de nudité, on cherche surtout du côté sexuel. Cham aurait dénudé son père, on parle également de la castration de Noé, de relations homosexuelles ou hétérosexuelles[2].

Tout ce qui précède découle des approches diachroniques du texte. On cherche ce qui se trouve derrière le texte, ce qui l'a précédé ou ce qu'il cache. Approche curieuse, car la Bible n'a pas peur d'appeler les choses par leur nom (Gn 19, 30-38). Comme nous l'avons fait pour les autres récits, nous étudierons celui-ci de façon synchronique. Peu importe l'origine, peut-être tribale, du texte, dans sa forme actuelle il parle des fils de Noé de qui surgira la nouvelle humanité; il parle également d'un «voir». Nous prenons le texte tel qu'il est sans y ajouter ou en enlever quoi que ce soit, tel qu'il fut lu durant les siècles.

La péricope se divise en deux tableaux. Le premier (a-b-c) décrit comment Noé perd conscience et comment les trois fils se comportent vis-à-vis de leur père pendant son ivresse. Le deuxième (a'-b'-c') décrit la reprise de conscience de Noé et sa réaction.

---

2 Pour ces différentes hypothèses avec leurs arguments, voir W. Vogels, «Cham découvre les limites de son père Noé (Gn 9, 20-27)», *Nouvelle revue théologique*, 109 (1987), p. 554-573, «Ce que le texte dissimulerait», p. 555-561; deux études souvent citées: F.W. Bassett, «Noah's Nakedness and the Curse of Canaan. A Case of Incest?», *Vetus Testamentum*, 21 (1971), p. 232-237; A. Phillips, «Uncovering the Father's Skirt», *Vetus Testamentum*, 30 (1980), p. 38-43.

L'enivrement de Noé (9, 20-21)

Noé, constructeur de bateau et marin, est maintenant appelé «agriculteur» (littéralement, «un homme de la terre, *adamah*»). Il reprend son métier antérieur et se remet à travailler le sol comme les premiers êtres humains, Adam et Ève (3, 23) et Caïn (4, 2). Noé avait montré son ingéniosité au moment du déluge; il fait ici preuve du même esprit inventif: «Il planta une vigne.» (9, 20) Il est le premier à produire le vin qui réjouit le cœur des hommes et des femmes (Ps 104, 15), procurant ainsi à l'humanité «une consolation du sol que Yahweh a maudit» (5, 29; cf. 3, 17). Une invention peut être utilisée en bien ou en mal; comme Lamek abusait de la technologie (4, 23-24), ainsi Noé abuse d'une chose qui, en soi, est excellente (Pr 23, 29-35). L'action de Noé est décrite de façon très sobre par une série de verbes, sans détails permettant de satisfaire une curiosité malsaine: «Il but le vin, il s'enivra et il se dénuda à l'intérieur de sa tente.» (9, 21) L'histoire suit en cela la discrétion des descriptions du péché au paradis (3, 6) et de celui de Caïn (4, 8). Certains lecteurs scandalisés par cet enivrement et cet exhibitionnisme — interprété comme une invitation à autre chose — essayent d'excuser Noé, le juste, en disant que, étant le premier à cultiver la vigne, il ne connaissait pas encore les effets du vin. Ils font également remarquer que c'est «à l'intérieur de sa propre tente» qu'il s'est dénudé.

Le texte ne porte aucun jugement moral sur la conduite de Noé et ne rapporte aucune intervention de Dieu pour juger et punir le coupable, comme il le fait dans les récits précédents. L'enivrement n'est pas considéré comme un péché dans la Bible et dans le monde sémitique, mais plutôt comme une bêtise; de plus, la nudité ne réfère pas d'abord au domaine sexuel, mais à la pauvreté, à la faiblesse et à l'humiliation (2, 25; 3, 7. 10-11. 21)[3]. Le texte présente un être humain qui a perdu toute sa dignité. Noé s'est enivré, il a perdu le contrôle de lui-même. Un être humain dans un tel état n'est pas beau à voir; il fait pitié, il ne se montre plus pleinement humain. Ivre, Noé s'est dénudé, il se révèle tel qu'il est (Lm 4, 21). Il est comme le sot qui étale devant tout le monde sa sottise (Pr 18, 2). L'image de l'enivrement et du dénuement s'avère ainsi tout à fait appropriée pour souligner que même Noé, le juste, a des limites, des faiblesses. Il offre un spectacle bien humiliant.

Le comportement de Cham (9, 22)

Deux verbes décrivent la démarche de Cham, père de Canaan. D'abord, il «vit la nudité de son père». En soi il n'y a rien de choquant à voir un être humain nu; rien non plus ne suggère une action sexuelle. Le texte affirme simplement que Cham a vu Noé dans un état humiliant, qu'il a pris conscience des faiblesses et des limites «de son père». Tout laisse soupçonner qu'il l'a vu par hasard. De façon naturelle, un enfant se fait une haute opinion de ses parents, il voit en eux un exemple à suivre. Un jeune veut construire sa vie en vue de recevoir l'approbation de son père. Or, précisément, il s'agit ici du «plus jeune fils» (9, 24); ce détail ne manque pas d'importance. Chaque enfant, à un moment ou l'autre de sa vie, découvre que ses parents sont humains, qu'ils ont eux aussi leurs faiblesses. Cette expérience, Cham l'a faite le

---

3   Voir plus haut, p. 94-95; W. Vogels, «Cham découvre les limites de son père Noé (Gn 9, 20-27)», *Nouvelle revue théologique*, 109 (1987), p. 554-573, «Les notions de "nudité" et "nu"», p. 562-565; N.M. Waldman, «The Imagery of Clothing, Covering, and Overpowering», *Journal of the Ancient Near Eastern Society*, 19 (1989), p. 161-170.

jour où il a trouvé son père ivre dans sa tente. Ce jour-là, Cham a «découvert» les limites de son père, Noé, le juste. Si l'histoire s'était arrêtée ici, Cham n'aurait mérité aucun reproche; Noé devrait supporter les conséquences de ses actes.

Mais le texte poursuit: «Il en informa ses deux frères au-dehors.» Voilà la faute de Cham. Nous sommes souvent plus portés à révéler aux autres les faiblesses de quelqu'un que ses qualités. Cham, qui avait découvert les limites de son père, aurait pu couvrir sa nudité et garder cette découverte pour soi. Il a choisi au contraire de «dénuder», de «découvrir» son père davantage en «révélant» à ses frères dans quel état il se trouvait. Ce qui se trouvait jusqu'à maintenant «à l'intérieur» de la tente est proclamé «au-dehors».

Le comportement de Sem et Japhet (9, 23)

Une autre série de verbes décrit, mais avec beaucoup plus de détails, le comportement de Sem et de Japhet. «Mais Sem et Japhet prirent le manteau, le mirent sur leurs épaules, marchèrent à reculons, et couvrirent la nudité de leur père.» Les deux frères réalisent que leur père, dans toute la pauvreté de son humiliation, ressemble au pauvre qui a besoin du manteau pour se couvrir (Ex 22, 25-26). Ils «couvrirent ainsi la nudité de leur père», comme Dieu couvre la nudité d'Israël (Éz 16, 7-8). Le texte poursuit: «Leurs visages étaient tournés en arrière et ils ne virent pas la nudité de leur père», contrairement à Cham. Le texte oppose le voir et le non-voir; le voir de Cham ne cache donc rien d'autre. La vue joue d'ailleurs un rôle particulier dans toute l'histoire de Noé; Dieu «voit» la méchanceté de l'humanité (6, 5. 12) et la justice de Noé (7, 1); maintenant Cham, et avec lui le lecteur, «voit» les limites de Noé.

Le comportement des deux frères est opposé à celui de Cham. En le voyant dans un état humiliant, Cham a découvert les limites de son père. De la tente, il est sorti dehors pour divulguer à ses frères la pauvreté de leur père. Il dénude son père davantage. Sem et Japhet font exactement le contraire. Du dehors, ils vont à l'intérieur de la tente, et le texte souligne avec quelle délicatesse. Ils marchent à reculons et ils couvrent la pauvreté de leur père. Ils savent que leur père a des limites, qu'il n'est pas parfait, mais ils n'y prennent pas plaisir; ils le «couvrirent», ils ne «virent» donc pas la nudité de leur père. Ils comprennent, ils excusent, ils n'en tiennent pas compte, comme Dieu «couvre» le péché de l'être humain (Ps 85, 3).

La prise de conscience de Noé (9, 24)

«Lorsque Noé se réveilla de son vin et sut ce que lui avait fait son fils le plus jeune...» Le verbe «savoir», «connaître», désigne plus qu'une connaissance purement intellectuelle, il implique une prise de conscience. Noé ivre a perdu conscience; il fait maintenant la pénible découverte de ce qui s'est passé. Il ressent profondément que la relation père – fils a changé. Le texte parle d'un «faire» de Cham; ce «faire» ne cache absolument rien, il se situe au niveau de la parole: Cham a averti ses frères de sa découverte. En hébreu, le mot *dabar* signifie en même temps parole et chose. Parler, c'est faire. Ce que Cham a fait est de divulguer les limites de Noé; de cette façon il l'a dénudé davantage, tandis que Sem et Japhet l'ont couvert. Comme Adam et Ève après leur péché «connurent qu'ils étaient nus» (3, 7), Noé «connut» qu'il a été vu «nu» et que son fils l'a «dénudé» davantage.

La malédiction de Canaan (9, 25)

Dans les récits précédant le déluge, Dieu maudit les coupables, le serpent (3, 14) et Caïn (4, 11); ici Noé prononce la malédiction. Il ne maudit pas Cham, le coupable, mais Canaan, son fils[4]. Cham, qui n'a pas respecté son propre père, verra son fils souffrir dans la vie. Il est souvent plus facile pour des parents d'accepter leur propre échec que d'assister, impuissants, à l'échec de leurs enfants. Canaan sera «pour ses frères le dernier des esclaves». Il est le premier être humain à devenir esclave d'autres humains, ses frères (9, 25. 26. 27 [3 fois]); comme Caïn, il est exclu de la communauté.

La bénédiction de Sem et de Japhet (9, 26-27)

Noé passe ensuite à une bénédiction: «Béni soit Yahweh, le Dieu de Sem.» Il bénit indirectement ses deux autres fils qui n'ont fait que leur devoir. Noé bénit Yahweh, le Dieu de Sem, de qui viendront tous les bienfaits, d'abord pour Sem, mais aussi pour Japhet: «Que Dieu mette Japhet au large et qu'il habite dans les tentes de Sem.» La scène s'est déroulée dans «la tente» de Noé (9, 21). Sem, comme premier-né, en héritera un jour et Japhet habitera dans ces «tentes de Sem».

La première action humaine après le déluge est peu encourageante, elle montre que rien n'a changé dans l'être humain. Caïn, après avoir offert un sacrifice à Dieu, a tué son frère. Noé, le seul juste, qui avait lui aussi offert un sacrifice en sortant de l'arche, et ses fils, les seuls à être sauvés du déluge, ne sont pas parfaits. Avant le déluge, nous avons assisté à la rupture des relations homme – femme (2-3) et frère – frère (4, 1-16); ce texte parle de la rupture d'une autre relation humaine importante, celle entre père – fils, parents – enfants. Le texte le souligne par la répétition des termes «père» (9, 22 [2 fois]. 23 [2 fois]) et «fils» (9, 24).

---

4   Comme Cham est l'ancêtre de certains groupes africains (10, 6), on a invoqué ce texte pour justifier l'esclavage des Noirs puisqu'ils sont maudits. Mais la malédiction s'adresse à Canaan qui n'est ni africain, ni noir. P. Charles, «Les noirs, fils de Cham le maudit», *Nouvelle revue théologique*, 55 (1928), p. 721-739.

Le déluge marque la fin d'un monde et le début d'un monde nouveau. Le premier monde commence avec Adam et Ève, le nouveau avec Noé et sa famille. L'être humain *(adam)* est tiré du sol *(adamah)* (2, 7). Dieu «plante» un paradis pour l'être humain (2, 8), mais celui-ci le perd par sa faute; il doit maintenant travailler le sol (3, 23) qui est maudit et qui lui résiste (3, 17-18). Noé est lui aussi cultivateur, «l'homme du sol *(adamah)*». Il plante même une vigne (9, 20). Le nouveau monde, comme le premier l'avait été, est plein de promesses, il offre une vraie consolation de ce sol maudit (5, 29). Mais le thème de la nudité, des limites humaines, apparaît dans les deux mondes. Quand Adam et Ève «connurent qu'ils étaient nus», ils se couvrirent (3, 7); mais se sachant toujours «nus», Dieu les couvrit (3, 21). Perdant contrôle de lui-même, Noé se dénude, mais il est couvert par d'autres humains. Ce qu'Adam et Ève avaient fait pour eux-mêmes et que Dieu avait fait pour eux, Sem et Japhet le font pour leur père. Mais Noé «connut» aussi que Cham l'a dénudé encore davantage. Avant le déluge, Dieu maudit l'être humain coupable (4, 11) et bénit l'être humain (1, 28) créé à son image (1, 26-27); ici, Noé maudit le fils du coupable et bénit indirectement ses deux autres fils, Sem et Japhet, qui sont à l'image de leur père (5, 3).

2. Mais le monde continue et progresse

Comme la rupture de l'harmonie du premier monde ne pouvait bloquer sa continuité et son progrès (4, 17-5, 32), ainsi la faiblesse humaine ne freinera pas le développement du monde nouveau.

La variété de l'humanité (10, 1-32)

Le texte qui suit, composé de versets appartenant à la tradition sacerdotale et yahwiste, présente le peuplement de la

terre qui avait déjà été annoncé (9, 18-19)[5]. La table des
nations de la tradition sacerdotale est complète et bien struc-
turée. Elle s'ouvre avec une introduction générale: «La descendance des fils de Noé, Sem, Cham et Japhet» (10, 1a). Le
texte présente ensuite successivement la descendance de chacun des fils, celle de Japhet (10, 2-5), celle de Cham (10, 6-7.
20) et celle de Sem (10, 22-23. 31). Les trois paragraphes
sont structurés de la même manière: «Fils de... fils de...» avec
une conclusion identique (10, 5. 20. 31). Le texte se termine
par une conclusion générale, qui reprend en partie l'introduction et forme ainsi une inclusion (10, 32; cf. 10, 1). La tradition sacerdotale ne présente en somme qu'une énumération de
noms, elle décrit la situation du monde telle qu'elle la voit.

À cet ensemble s'ajoutent des éléments appartenant à la
tradition yahwiste, qui n'est pas retenue au complet (10, 1b.
8-19. 21. 24-30). Ces versets ne se limitent pas à une énumération de noms, ils donnent plus de détails et décrivent un
événement (très semblable à 4, 17-26). Le texte parle à nouveau du progrès de l'humanité. Il utilise des verbes: «engendra» (10, 8. 13. 15. 24. 26), «bâtit» (10, 11). Il mentionne que
Nemrod «fut le premier potentat (ou «héros», 6, 4) sur la
terre» (10, 8)[6]; il est, comme d'autres êtres humains avant lui,
à l'origine d'une nouveauté (4, 26; 6, 1; 9, 20). Il est aussi un
«vaillant chasseur»; l'humanité est capable de contrôler les
bêtes sauvages et de protéger elle-même ses troupeaux et ses

---

5   N. Poulssen, «Stad en Land in Genesis 10, 1-32 en 11, 1-9: over de
     gevoelsruimte van de volkenlijst in het torenbouwverhaal», *Bijdragen*, 50
     (1989), p. 263-277; A.P. Ross, «The Table of Nations in Genesis 10 — Its
     Structure», *Bibliotheca Sacra*, 137 (1980), p. 340-353, «Its Content»,
     Ibid., 138 (1981), p. 22-34; J. Simons, «The "Table of Nations"
     (Genesis X). Its General Structure and Meaning», *Oudtestamentische
     Studiën*, 10 (1954), p. 155-184.

6   E. Lipinski, «Nimrod et Assur», *Revue biblique*, 73 (1966), p. 77-93;
     K. van der Toorn et P.W. van der Horst, «Nimrod before and after the
     Bible», *Harvard Theological Review*, 83 (1990), p. 1-29.

champs (1, 26; 2, 20; 9, 2). Le texte mentionne l'«empire» de Nemrod et les «soutiens» de son empire (10, 10); il existe dans l'humanité des petits royaumes et des puissances mondiales. L'humanité avait déjà bâti une ville (4, 17), elle construit maintenant une capitale (10, 11), une «grande ville» (10, 12).

Les peuples ne sont pas ordonnés suivant la race, mais le principe adopté pour cette classification reste mystérieux. Si on ne tient compte que des textes appartenant à la tradition sacerdotale, la classification semble, en gros, suivre un principe *géographique*. Parmi les fils de Japhet (10, 2-5), on compte les Mèdes, Yavân (la Grèce), Tarsis (l'Espagne), qui sont les peuples d'Asie Mineure et des îles de la Méditerranée, donc la région nord et ouest par rapport à Israël. Parmi les fils de Cham (10, 6-7. 20) on note Kush (l'Éthiopie), Miçrayim (l'Égypte), Put (la Lybie ou la côte des Somalis), ce qui indiquerait la région sud. Parmi les fils de Sem (10, 22-23. 31) on signale Élam, Ashshur et Aram, les peuples de la région est. Ce principe géographique est moins évident dans le cas de Canaan (10, 6), qui ne se trouve pas au sud et qui est pourtant classé dans la descendance de Cham. Toutefois, Canaan fut longtemps sous la domination de l'Égypte, un des fils de Cham; on en a conclu que le principe de classification serait *politique*. Si on considère le texte dans son ensemble, avec les ajouts yahwistes, le principe géographique ne fontionne plus du tout; la région de Mésopotamie à l'est est rattachée à Kush (l'Éthiopie), qui est au sud (10, 8-12). On a aussi proposé le principe *socio-culturel*[7] (comme c'est le cas pour les trois fils de Lamek, chacun pratiquant son propre métier, 4, 20-22); les fils de Japhet, les peuples des îles et des côtes, seraient les peuples marins, les navigateurs; les fils de Cham, les peuples des villes et des grands empires; et les fils de Sem, les nomades.

---

7   B. Oded, «The Table of Nations (Gn 10) — A Socio-cultural Approach», *Zeitschrift für die alttestamentliche Wissenschaft*, 98 (1986), p. 14-31.

La conclusion indique clairement que la liste présente
les peuples de la terre (10, 32); les noms des ancêtres sont
donc des éponymes, les peuples sont personnifiés par un
ancêtre mythique. Le texte fournit des renseignements intéressants sur les différents peuples connus à l'époque, mais
son intérêt est avant tout théologique. La généalogie appartient au type segmenté, qui veut montrer le lien entre les différentes branches de la famille. Le texte souligne ainsi que
tous les peuples appartiennent à la même grande famille
qu'est l'humanité. Tous remontent à un seul ancêtre, Noé,
qui a eu trois fils (comme le premier couple avait eu trois
fils, Caïn, Abel et Seth, 4, 1-2. 25) de qui proviennent les
soixante-dix nations (selon un calcul possible), un chiffre
qui symbolise bien la totalité des peuples.

La description de la descendance de chacun des trois fils
est toujours suivie du même refrain: «Tels furent les fils de ...,
selon leurs clans et leurs langues, d'après leurs pays et leurs
nations.» (10, 5. 20. 31) Un peuple est plus qu'un simple
groupement d'individus, il possède des structures voulues par
Dieu. Chaque peuple est composé de «clans» (familles), ce
qui garantit la continuité et crée des relations; il parle sa propre «langue», nécessaire pour la communication et pour
l'expression de sa culture; il a aussi son «pays», son territoire
où il peut vivre et trouver sa nourriture. Chaque peuple forme
une «nation», comportant une organisation et des institutions
aidant à la cohérence et à la survie. Il existe donc des différences ethniques, linguistiques, géographiques et politiques
entre les différents peuples de la terre, mais cela ne les empê-
che pas d'appartenir à la même famille. La grande variété des
peuples, chacun avec ses particularités, forme la richesse de
l'ensemble de l'humanité. Chacun sait combien le contact
avec une autre culture enrichit.

La fin du récit du déluge avait insisté sur l'importance
de la procréation, fruit d'une bénédiction divine: «Dieu bénit
Noé et ses fils et il leur dit: "Soyez féconds, multipliez,

emplissez la terre"» (9, 1; cf. 8, 17; 9, 7; reprenant la bénédiction du début de l'humanité, 1, 28). Le texte montre
qu'ils ont effectivement été «féconds» et qu'ils «emplissent»
vraiment la terre, comme le souligne la conclusion: «Ce fut
à partir d'eux que les peuples se dispersèrent sur la terre
après le déluge.» (10, 32b; 10, 18; cf. 9, 19)

Cette table des nations qui montre la variété et la fraternité de l'humanité présente ainsi une vue universaliste
extrêmement riche (Ac 17, 26), loin de toute tendance natio-
naliste. L'universalisme est renforcé par l'absence d'Israël
de cette liste, qui pourtant parle longuement de Canaan
(10, 15-19) et mentionne les plus grands ennemis d'Israël,
comme Babel (10, 10; cf. Is 47) et Ninive (10, 12; cf. Na).

Jusqu'à maintenant, les textes de la préhistoire ne conte-
naient que des mythes, ils parlaient de l'humanité en général. Cette généalogie introduit un passage graduel du mythe
à l'histoire, car elle distingue dans cette humanité des peuples historiques.

La confusion de l'humanité (11, 1-9)

Le texte qui suit la table des nations est l'histoire bien
connue et souvent appelée «la tour de Babel», même si la
tour n'y joue qu'un rôle très limité[8]. Malgré certaines irrégu-
larités internes du texte, montrant son origine complexe,
celui-ci offre dans sa forme actuelle une belle structure
d'ensemble mettant en opposition l'action humaine et
l'action divine. «L'homme propose, mais Dieu dispose.»

---

8   B. Anderson, «Le récit de Babel: Paradigme de l'unité et de la diversité
     humaines», *Concilium*, 121 (1977), p. 89-97; H. Bost, *Babel: Du texte au
     symbole* (coll. *Le monde de la Bible*), Genève, Labor et fides, 1985; A. De
     Pury, «La tour de Babel et la vocation d'Abraham», *Études théologiques
     et religieuses*, 53 (1978), p. 80-97; C.S. Song, «Many Peoples and Many
     Languages: The Tower of Babel Revisited», *Northeast Asia Journal of
     Theology*, 24/25 (1980), p. 29-59.

> a   unité de langue (11, 1)
> b   les humains parlent et agissent (11, 2-4)
> c   Dieu descend pour voir (11, 5)
> b' Dieu parle et agit (11, 6-8)
> a' diversité des langues et dispersion (11, 9)

Le texte commence par une description de l'unité linguistique, perçue ici comme un signe d'harmonie, en opposition à la confusion de la fin: «La terre entière se servait d'une même langue et des mêmes mots.» (11, 1) Cette constatation peut étonner le lecteur qui vient de lire dans le texte précédent que les peuples avaient chacun leur langue (10, 5. 20. 31). Dans une approche diachronique, la théorie documentaire permet d'expliquer cette difficulté: les versets du chapitre précédent appartiennent à P et le présent texte à J. Mais dans une approche synchronique, on se doit d'aller plus loin. Le rédacteur a placé le récit de la tour après et non pas avant la table des nations, ce qui aurait semblé plus logique; peut-être veut-il indiquer par là que les différences de langues ne sont pas un empêchement à la bonne entente entre humains. Il y a des gens qui parlent des langues différentes et qui pourtant s'entendent parfaitement; il arrive également que des gens qui parlent la même langue ne se comprennent pas. De plus, le rédacteur a placé cette histoire qui aboutit à la confusion de l'humanité vers la fin de la préhistoire, laissant ainsi le lecteur avec une question: comment l'humanité arrivera-t-elle à s'en sortir?

Après cette description, l'action proprement dite commence: «Comme les hommes se déplaçaient à l'orient, ils trouvèrent une vallée au pays de Shinéar (en Mésopotamie, 10, 10) et ils s'y établirent.» (11, 2) L'action de l'humanité est décrite par trois verbes: «ils se déplaçaient», indiquant le départ d'une humanité en marche; «ils trouvèrent», la découverte après leurs explorations; «ils s'y établirent», l'établissement sur des terres nouvelles. Le texte décrit le mouvement bien connu de nomades qui passent à la vie sédentaire. En mentionnant la Mésopotamie et Babel (11, 9), le texte continue à faire le passage graduel du mythe à l'histoire (cf. Gn 10).

Ces explorateurs se proposent de construire un monde à eux (11, 3-4). Tous participent au même projet: «Ils se dirent l'un à l'autre» (littéralement, «l'homme dit à son prochain», à son copain). Ils possèdent l'enthousiasme d'une jeune nation qui prend en main sa propre destinée: «Allons! Faisons!... Allons! Bâtissons-nous!... Faisons-nous!» Ils ont en plus un esprit inventif; comme ils ne trouvent pas de «pierres», ils fabriquent des «briques», et comme il n'y a pas de «mortier», ils se servent de «bitume». D'autres avant eux avaient déjà construit une «ville» (4, 17; 10, 11) mais ils sont les premiers à construire une «tour». Plusieurs raisons motivent leur projet de construire une ville et une tour. Ils veulent d'abord que «le sommet [de cette tour] pénètre les cieux». Les constructeurs voudraient pénétrer le monde divin. Cette ambition rappelle le désir humain de dépasser ses limites, comme Adam et Ève en mangeant du fruit de l'arbre avaient espéré devenir comme des êtres divins (3, 5-6), ou le mélange des mondes divin et humain par l'union sexuelle entre les fils de Dieu et les filles des hommes (6, 1-4). Ils veulent aussi «se faire un nom» (2 S 8, 13), ils cherchent à devenir fameux (cf. «ces hommes fameux», littéralement «hommes de nom», 6, 4) et à se créer une réputation pour aujourd'hui et pour l'avenir, comme les villes d'Alexandrie, d'Antioche, de Constantinople ou de Ramsès gardent le souvenir de leur constructeur. Un autre motif explique cette construction: «Ne soyons pas dispersés sur toute la terre.» Cette humanité pleine d'optimisme et de rêves de grandeur connaît l'anxiété et la peur de la dispersion, qui dominent tout le récit (11, 4. 8. 9). Dieu avait béni l'humanité en disant «Multipliez... emplissez la terre» (1, 28; 9, 1; cf. 10, 18. 32); les êtres humains se sont multipliés mais la dispersion leur fait peur, ils veulent conserver l'unité basée sur la centralisation, qui semble leur offrir protection et sécurité. Dieu aussi désire l'unité, il a créé une humanité qui ne comporte pas diverses espèces comme chez les animaux (1, 21. 24-25), mais il veut une unité dans la diversité et le pluralisme.

L'archéologie a retrouvé en Mésopotamie des ruines de tours, appelées des ziggourats, qui furent probablement des sanctuaires[9]. Presque toutes les religions aiment construire des tours, expression du désir humain de se rapprocher de Dieu, qu'on place spontanément en haut, et qui permettent éventuellement à Dieu de descendre vers nous (Gn 28, 11-19). Le texte ne s'oppose pas au progrès humain et technique, il n'a pas de vue négative sur la ville à l'opposé de la vie en campagne, il ne condamne pas la construction de sanctuaires. Il affirme qu'aucune culture ni aucune religion ne peuvent se substituer à Dieu, «pénétrer les cieux», et met en garde contre la tentation de l'impérialisme par peur du pluralisme.

Le texte ne décrit pas l'exécution du projet des êtres humains, mais la suite nous prouve qu'ils ont bien commencé, sans avoir jamais réussi à «pénétrer les cieux».

Dans la première partie du texte, Dieu n'est jamais mentionné, l'humanité a construit son propre monde. Soudainement cet acteur oublié apparaît: «Or Yahweh...» Le texte est plein d'ironie: «Yahweh descendit pour voir la ville et la tour que les hommes (littéralement, «les fils d'*adam*») avaient bâties.» (11, 5) Dieu doit descendre pour voir une tour qui, d'après ses constructeurs, devait avoir pénétré les cieux. *Adam* n'avait pas accepté ses limites, ses fils non plus, mais ni le père ni les fils n'ont réussi à atteindre le

---

9   A. Parrot, *La Tour de Babel* (coll. *Cahiers d'archéologie biblique*, 2), Neuchâtel, Delachaux et Niestlé, 1954.

monde divin. Yahweh était descendu vers *adam* (3, 8), il descend aussi vers les constructeurs. Quatre actions de Dieu sont décrites: voir – réfléchir – décider – agir.

Ce que Dieu vient de voir le fait réfléchir: «Voici que tous font un seul peuple et parlent une seule langue (cf. le début du texte, 11, 1), et c'est là leur première œuvre! Maintenant aucun dessein ne sera irréalisable pour eux!» (11, 6) D'autres ont été les premiers à faire des découvertes (4, 26; 6, 1; 9, 20; 10, 8), ceux-là sont les premiers à vouloir construire un monde pénétrant les cieux avec un pouvoir centralisateur qui supprime tout pluralisme. Dieu prévoit que ce désir impérialiste qui dépasse ses limites deviendra une force mondiale dominant les autres avec toute la violence que cela comporte. Il sait par expérience que le refus humain d'accepter ses limites mène à la destruction de l'harmonie et à la violence; c'est le cas de l'homme qui domine sa femme (3, 16), de Caïn qui tue son propre frère (4, 8), de Lamek qui ne maîtrise plus sa violence (4, 23-24) et des fils de Dieu qui abusent de leur pouvoir (6, 2).

Après réflexion, Dieu prend une décision qui n'est pas un châtiment, mais une action préventive. Comme les êtres humains avaient leur projet, «Allons... Allons!» (11, 3-4), Dieu aussi a le sien: «Allons! Descendons! Et là, confondons leur langage pour qu'ils ne s'entendent plus les uns les autres (littéralement «son prochain»).» (11, 7) Dieu décide de briser l'unité que l'humanité recherche dans la centralisation de l'impérialisme et il passe immédiatement à l'action: «Yahweh les dispersa de là sur toute la face de la terre.» (11, 8a) Ce que l'humanité avait redouté (11, 4) se réalise; leur dispersion rappelle l'expulsion d'Adam et Ève du paradis (3, 23) et celle de Caïn du sol fertile (4, 14). C'est la fin de ce nouvel empire: «Ils cessèrent de bâtir la ville.» (11, 8b) La ville et la tour ne sont pas détruites, ces constructions inachevées deviendront une ville fantôme, témoin d'une autre grande civilisation qui a péri.

Les gens avaient voulu se faire un «nom» par la construction de cette ville (11, 4); elle portera le «nom de Babel, car c'est là que Yahweh confondit *(balal)* le langage de tous les habitants de la terre» (11, 9). L'auteur choisit «Babel» car elle est l'image de la ville orgueilleuse (Is 14, 13-14); de plus, son nom permet un jeu de mots avec le verbe hébreu «confondre» (le vrai sens du nom est «porte de Dieu»). L'orgueil humain mène à la confusion «de tous les habitants de la terre», renversant la situation du début alors que «tout le monde se servait d'une même langue» (11, 1). Les êtres humains ne vivent plus tous au même endroit (11, 2), Dieu «les dispersa sur toute la face de la terre».

La préhistoire parle de l'aliénation entre homme et femme (3), entre frères (4, 1-16), entre parents et enfants (9, 20-27), maintenant entre peuples. La diversité des peuples avec leurs langues et leurs cultures est une grande richesse pour l'humanité (10, 1-32), mais elle est en même temps cause de division, de conflit et de confusion (11, 1-9). Le désir de domination tue le respect de l'autre. Dieu, comme il l'a promis après le déluge, ne détruit ni l'humanité, ni ses constructions; par ailleurs, le texte ne contient aucune des notes d'espérance qu'on retrouve dans d'autres récits de la préhistoire (3, 21; 4, 15). Le texte se termine dans une confusion totale. Comment l'humanité pourra-t-elle retrouver l'unité dans la diversité? La question reste posée. Ce n'est qu'à la Pentecôte qu'on y répondra, alors que tous pourront à nouveau se comprendre (Ac 2, 1-13). Il reste encore un long chemin à parcourir.

La continuité de l'humanité (11, 10-26)

Le texte se poursuit avec la présentation de la descendance de Sem. Rien jusqu'à maintenant, ni le péché humain, ni le déluge, n'a pu arrêter la continuité de l'humanité; la confusion et la dispersion n'empêcheront pas plus son développement. La généalogie de Sem, poursuivant la généalogie des trois fils de Noé qui était de type segmenté (10, 1-32), est de type linéaire, elle est restrictive. Elle choisit Sem parmi les trois fils de Noé (11, 10a), Arpakshad parmi les cinq fils de Sem (11, 10b; cf. 10, 22) et la lignée se poursuit jusqu'à Térah et ses trois fils (11, 26).

On note plusieurs ressemblances entre cette généalogie et celle d'Adam (5, 1-32). L'auteur sacerdotal utilise les mêmes formules, mais il n'indique plus la durée totale de la vie et ne mentionne plus la mort. Les chiffres sont moins élevés, on s'approche graduellement d'une longueur de vie qui se rapproche de la nôtre. Contrairement aux autres généalogies, il n'y a plus aucune indication de progrès culturel (4, 17-26; 5, 1-32; 10, 1-32), uniquement des chiffres et des noms. Toute l'attention se porte sur les personnes. La généalogie d'Adam comptait dix descendants jusqu'à Noé, la généalogie de Sem n'en compte que neuf jusqu'à Térah. La liste laisse ainsi l'impression d'un manque et d'être incomplète. Mais la fin indique que Térah avait trois fils (comme Adam, Lamek, 4, 17-22, et Noé, 5, 32); le premier des trois est Abram qui devient ainsi le dixième.

Une généalogie de type linéaire cherche à montrer la légitimité de la descendance. Abram appartient à la race humaine; par dix générations il est relié à Noé et par dix autres, à Adam. Comme cet ancêtre lointain, Abram est «à l'image de Dieu».

La stérilité et l'abandon de l'humanité (11, 27-32)

Vient ensuite la généalogie de Térah (11, 27a. 31-32 chez P; 11, 27b-30 chez J). L'introduction rappelle celle des autres généalogies (11, 27a; cf. 5, 1; 10, 1; 11, 10), mais le texte qui suit est bien différent, il mentionne la descendance mais aussi un événement (plus proche ainsi de 4, 17-24 et des éléments yahwistes de 10, 1-32).

Le texte commence par la descendance (11, 27b-30), où Abram est présenté comme le premier fils, et il utilise les

verbes classiques des textes généalogiques: «engendra...
engendra... mourut... prirent femme». La généalogie est de
type segmenté, illustrant le lien entre différentes branches de
la famille. Elle montre le rapport entre Abram (Israël),
Nahor (grand-père de Rébecca, Gn 24, 24) et Lot (Moabites
et Ammonites, 19, 30-38). Mais la généalogie contient également un autre verbe, jamais mentionné auparavant, qui
concerne la femme d'Abram: «Or Saraï était stérile: elle
n'avait pas d'enfant.» (11, 30) Rien n'avait pu arrêter la procréation humaine, fruit de la bénédiction divine (1, 28;
9, 1. 7); elle est ici bloquée par la stérilité.

Le texte poursuit avec une migration (11, 31) caractérisée par une série de verbes d'action: «prendre... sortir...
aller... arriver... établir». Térah en prend l'initative et Abram
est le premier qu'il prend avec lui. Le texte souligne ainsi
une deuxième fois l'importance d'Abram; il mentionne aussi
que sa femme Saraï est du nombre. Cette migration ressemble à d'autres (11, 2), mais tout ne fonctionne pas comme
prévu. Le projet était d'«aller au pays de Canaan, mais, arri-
vés à Harân, ils s'y établirent». Ils arrêtent en pleine démarche, ils abandonnent le projet initial. L'humanité semble
fatiguée de la conquête du monde. Dans la généalogie et
dans la migration il y a un «mais», qui bloque tout avance-
ment. La conclusion mentionne la mort de Térah (11, 32) et
laisse ainsi la place à Abram, son fils aîné.

La préhistoire conduit jusqu'à Abram et Saraï, mais elle
se termine dans un cul-de-sac: il y a confusion (11, 7), stérilité (11, 30) et abandon (11, 31). La situation de l'humanité
semble sans espoir. L'invitation de Dieu adressée à un être
humain offrira une issue à l'humanité (12, 1-9)[10]. «Yahweh

---

10   Pour l'appel, voir W. Vogels, *Les prophètes* (coll. *L'horizon du croyant*),
      Ottawa, Novalis, 1990, Chap. II: Le prophète, un appelé de Dieu, p. 35-52;
      pour le lien entre Gn 12, 1-3 et la préhistoire, voir W. Vogels, *God's
      Universal Covenant: A Biblical Study*, 2ᵉ éd., Ottawa, University of
      Ottawa Press, 1986, p. 39-45.

dit à Abram: "Pars... pour le pays que je te ferai voir."»
Abram est invité à reprendre la marche abandonnée pour le
pays de Canaan (11, 31; 12, 5). Yahweh poursuit: «Je ferai de
toi un grand peuple.» (12, 2a) Le Dieu qui, comme créateur,
a fait surgir l'ordre du chaos, peut, comme sauveur, faire
surgir la vie de la stérilité. Il ajoute: «Je magnifierai ton
nom.» (12, 2b) Les constructeurs avaient voulu se faire un
nom (11, 4) mais leur projet avait conduit à la confusion et à
la dispersion. Dieu magnifiera le nom d'Abram (12, 2) en
vue de l'unité de «tous les clans de la terre» (12, 3). Au
moment de la création et au début du nouveau monde après
le déluge, Dieu avait béni l'humanité en vue de la procréation et de la conquête du monde (1, 28; 9, 1. 7). La confusion, la stérilité et l'abandon ont bloqué cette mission; Dieu
offre une nouvelle «bénédiction» (le mot domine le passage,
5 fois en 12, 2-3)[11]. Tout est maintenant entre les mains
d'Abram. Acceptera-t-il l'invitation? «Abram partit...»
(12, 4) L'histoire du salut est commencée[12].

Le texte biblique a fait le passage du mythe à l'histoire,
de la création à l'histoire du salut, de l'universalisme à
l'élection, mais une élection au service de toute l'humanité[13]. À travers Abram, le salut est offert à une humanité con-
fuse, stérile et bloquée. Les lecteurs de la préhistoire sont
ainsi invités à poursuivre la lecture de l'Écriture pour y trouver le sens de la vie humaine.

---

11 Certains auteurs croient que le texte répète «bénédiction» cinq fois pour
    annuler les cinq malédictions de la préhistoire (3, 14. 17; 4, 11; 5, 29;
    9, 25 [2 fois]).

12 «Abram partit, comme lui avait dit Yahweh» (12, 4), est la première men-
    tion par le Yahwiste de l'obéissance humaine à Dieu. Il veut peut-être
    indiquer un contraste entre la préhistoire et l'histoire du salut qui commen-
    ce avec Abraham.

13 Pour cette tension entre élection et universalisme dans l'Écriture, voir
    W. Vogels, *God's Universal Covenant: A Biblical Study*, 2ᵉ éd., Ottawa,
    University of Ottawa Press, 1986.

Conclusion

La préhistoire décrit nos origines, non pas historiques mais théologiques. Elle affirme que nous ne sommes humains qu'à travers les trois relations fondamentales qui nous lient à Dieu, aux autres humains et à la terre[1]. Ces relations font notre richesse, mais elles nous imposent également des limites. Les textes bibliques présentent d'une part l'idéal, mais aussi la réalité qui n'y correspond pas toujours.

Conscient d'avoir reçu la vie de Dieu, l'être humain se reconnaît comme créature, mais aussi comme le partenaire et le vis-à-vis de Dieu. De lui il reçoit lumière et orientation de vie, il invoque son nom, lui construit des sanctuaires et des autels et lui offre des sacrifices. Par ailleurs, l'être humain a de la difficulté à accepter un être qui lui soit supérieur. Trois récits décrivent sa tentative de passer par-dessus ses limites pour devenir Dieu: en mangeant du fruit d'un arbre, en ayant des rapports sexuels avec des êtres divins et en voulant pénétrer le monde divin par ses constructions.

---

1 W. Vogels, *Vivre selon la Bible: avec Dieu, les autres, la nature*, Ottawa, Novalis, 1988.

Ces trois exemples illustrent bien la situation d'une humanité qui remplace Dieu par les jouissances de la nourriture ou de la sexualité et par ses propres réalisations. Cela n'aboutit malheureusement qu'à la peur de Dieu et même à l'expérience terrible de l'absence et du silence de Dieu, quand il semble avoir oublié l'être humain.

Dieu bénit l'être humain afin qu'il poursuivre son œuvre de création en devenant procréateur. Ainsi l'humanité garantit sa continuité et crée toutes sortes de relations interpersonnelles, relations homme – femme, parents – enfants, frère – sœur, relations entre familles, tribus et peuples. L'être humain n'est pas fait pour vivre seul, il trouve sa complémentarité et son enrichissement dans ces différentes relations. Ce qui vaut pour l'individu s'applique aussi à l'humanité dans son ensemble; elle trouve sa richesse dans la grande variété des cultures. Mais se savoir dépendant de l'autre impose aussi des limites. L'émerveillement que l'homme et la femme ressentent l'un pour l'autre fait parfois place à la rivalité, aux accusations, à la domination et même à l'infidélité pour satisfaire leur sensualité. Le bonheur que les parents éprouvent à la naissance de leur enfant est augmenté par la délicatesse avec laquelle l'enfant les traite, mais ce bonheur est parfois atteint par les humiliations que l'enfant peut leur causer. La fraternité peut être remplacée par la jalousie, l'exploitation, l'oppression, l'esclavage et la violence, celle-ci créant encore plus de violence à cause du désir de vengeance. La variété et la diversité des peuples peuvent devenir cause de friction, de domination. Des grandes puissances, dans leur désir de domination mondiale, obligent les petits à devenir leurs vassaux sans réaliser qu'elles-mêmes subiront le sort de tous ces empires, qu'elles sont condamnées à disparaître. Toute violence faite à d'autres humains est une attaque directe à Dieu, puisque l'être humain est créé à son image. Ainsi, dans un monde pourtant fait de relations, l'être humain peut vivre l'isolement.

L'être humain a aussi reçu la mission de gérer le monde que Dieu a créé en harmonie, bon et beau, mais où demeurent aussi des ténèbres. L'humanité devient co-créatrice, elle travaille pour faire de cette terre un endroit où il fait bon vivre, où chacun trouve à se nourrir, un lieu où les découvertes rendent le travail plus humain. Chacun prend sur soi un aspect de cette mission confiée à l'humanité, comme agriculteur, pasteur, habitant des villes, marin (et aujourd'hui aviateur), constructeur, ingénieur, forgeron mais aussi artiste, musicien (peintre, sculpteur), car la vie humaine n'est pas que travail mais comporte aussi la culture. L'être humain peut s'adapter à de nouvelles conditions de vie: le nomade peut devenir sédentaire; l'agriculteur, marin. L'esprit humain est extrêmement inventif, il trouve toujours des moyens de survie; par exemple, s'il n'y a pas de pierres, il fera des briques. L'être humain a un rapport particulier avec les animaux, il en prend soin, il parvient à les domestiquer pour sa nourriture, mais aussi pour que l'animal lui rende service. De plus, la chasse lui permet de se protéger contre les bêtes dangereuses. Mais ces diverses tâches au service de la collectivité créent d'autres limites parfois difficiles à accepter; ainsi, l'agriculteur s'oppose au pasteur. Au lieu de se servir des inventions pour le bien commun, on en abuse; le fer permet plus de violence, le vin mène à l'ivrognerie. Ainsi apparaissent, dans cette humanité pourtant aimable et pleine de promesses, des gens exclus de la communauté, des esclaves, des vagabonds ou des ivrognes.

L'image du monde présentée dans la préhistoire est celle de notre monde. On entend souvent des plaintes sur notre monde corrompu et des louanges du bon vieux temps. Ces pessimistes n'ont probablement jamais lu les récits de la préhistoire! Ce que nous sommes maintenant, nous l'étions dans le passé et nous le serons dans l'avenir. L'histoire du déluge est là pour nous en convaincre. Ce que les gens étaient avant le déluge, ils le sont demeurés après. L'agir humain comporte du bien et du mal. Dieu ne rêve plus d'un monde parfait, d'un paradis. Il nous accepte tels que nous sommes. Il remplace le régime de rétribution par le régime de la grâce. Au lieu de tout détruire pour recommencer à zéro, il offre le salut à l'humanité pour qu'elle puisse se développer tout en acceptant ses limites et pour éviter qu'elle n'aboutisse à la confusion totale, la stérilité et l'abandon.

Bibliographie

En plus des livres et articles cités dans les notes, voici quelques études d'intérêt général.

Commentaires sur la Genèse

Il n'existe aucun commentaire récent en français sur l'ensemble de la Genèse.

J. Chaine, *Le livre de la Genèse* (coll. *Lectio divina*, 3), Paris, Cerf, 1949.

Un des premiers commentaires catholiques critiques en français.

F. Michaëli, *Le livre de la Genèse* (coll. *La Bible ouverte*), Paris – Neuchâtel, Delachaux et Niestlé, 1957. Le volume I traite des chapitres 1 à 11.

G. von Rad, *La Genèse*, Genève, Labor et fides, 1968.

Traduction d'un ouvrage allemand paru en 1949.

Études sur Genèse 1-11

P. Beauchamp (et autres), *La création dans l'Orient Ancien* (coll. *Lectio divina*, 127), Paris, Cerf, 1987.

Les conférences de la réunion annuelle de l'Association catholique française pour l'étude de la Bible, tenue à Lille en 1985, sur la littérature extra-biblique et biblique par rapport à la création.

H. Blocher, *Révélation des Origines: Le début de la Genèse*, Lausanne, Presses bibliques universitaires, 1988.

Conservateur et traditionaliste (Moïse est l'auteur du Pentateuque), mais contient beaucoup d'informations sur des études d'auteurs appartenant à des écoles différentes.

C. Hauret, *Origines: Genèse I-III*, Paris, Gabalda, 1953.

Un des premiers catholiques français à appliquer les principes critiques à ces chapitres.

C.E. L'Heureux, *In and Out of Paradise: The Book of Genesis from Adam and Eve to the Tower of Babel*, New York, Paulist Press, 1983.

Développe le lien avec les textes babyloniens.

J.M. Kikawada et A. Quinn, *Before Abraham Was: The Unity of Genesis 1-11*, Nashville, Abingdon Press, 1985.

Les auteurs rejettent la théorie documentaire; le tout a été écrit par un seul auteur d'une subtilité extraordinaire.

R. Koch, *Grâce et liberté humaine: Réflexions théologiques sur Genèse 1-11*, Tournai, Desclée, 1967.

Traduction française d'un ouvrage allemand paru en 1965.

L. Neveu, *Avant Abraham (Genèse I-XI)*, Angers, Université de l'Ouest, 1984.

Texte polycopié; étude des structures et procédés de composition.

H. Renckens, *La Bible et les origines du monde: Quand Israël regarde le passé — à propos de Genèse 1-3*, Tournai, Desclée, 1964.

Traduction française d'un ouvrage néerlandais paru en 1956.

Table des matières